JN077024

現代日本における アジア論の地平

萩野寛雄 編

芦書房

現代日本におけるアジア論の地平

はしがき

啓蒙主義の華やかりし頃、アジアはアジア的専制主義とアジア的停滞性ゆえに近代化に失敗した後進的地域とされていた。C・モンテスキューは『法の精神』で、トルコから日本に至るアジアでは過酷な気候風土によって強者の弱者への奴隷的支配が確立されたとし、G・W・Fヘーゲルは『歴史哲学講義』で、アジアで自由なのは権力をもつ一人だけとアジア人の隷属的状態を批判する。K・マルクスは『資本論』で、アジアを社会発展の契機に乏しい総体的奴隷制が存続する社会とした。わが国でも福沢諭吉が『脱亜論』で、アジアの前近代体制への固執による後進性をあげ、アジア諸国の進化の必要性を述べていた。

しかし二一世紀を迎えて二十数年を経た現在、世界人口の六〇％以上がアジアに住み、名目／購買力平価ＧＤＰでもアジアの合計は全世界の五〇％を超えた。第一回アテネ大会にアジアからの参加が無かったように西洋文明の象徴である近代オリンピックでも、二一世紀以降の一〇開催都市の四つもがアジアである。このように、世界におけるアジアの位相はこの百年で大きく変わってきている。

本書のテーマの根源である「アジア論」を語る場合、その対象は長い歴史と広大な面積／人口を有して多くの世界帝国を築いてきた中国と、アジアで初めて西欧的近代国家を構築し、帝国主義の跋扈する国際社会に参加した日本だけだった。多くのアジア地域がまだ植民地化されていた一九世紀後半から二〇世紀前半には、アジア論では日本や中国が対象だった。
しかし第二次世界大戦後、アジアの多くの国が独立することでアジア論の地平は拡大していく。焦土に帰して崩壊した日本は一九五〇年代から二〇年間の高度経済成長で世界第二位の経済大国に成長し、一九八〇年代にはアジア四小龍（ＮＩＥＳ）が日本に続いた。幾度かの通貨危機をも乗り越えてアジアは成長を続け、リーマンショック以降の世界経済を支えた中国経済は日本を抜いて世界第二位になった。近年では東アジア諸国に加え東南アジアＡＳＥＡＮ諸国の成長も著しく、更にこの後にはインドなど南アジア諸国が続くと予想される。アジアの枠組みはＲＣＥＰやＴＰＰのように、環太平洋地域への更なる拡大を予感させている。これらの成長を支える現代文明の血液たる石油の多くを産出する西アジア諸国も、宗教や文化、政治制度などから多様なアジア論を語る際に不可欠な存在である。

このように拡大を続ける現代日本におけるアジア論の地平を語る本書にあたり、国内外の新進気鋭の研究者を著者に迎えられたのは何よりも幸いである。第1章では最初に編者でもある萩野から、二一世紀の世界共通課題である認知症問題を切口にアジアを語る。認知症はアジアのみならずに先進各国喫緊の課題であるが、日本はそのトップランナーであり、他のアジア諸国も日本以上のスピードでこれを被る。この解決可能性の一つとして、西洋と異なるアジア（特に東アジア）的「老い」の価値観に着目する。定常型社会での結晶性知能の有効性に着目し、認知症スティグマを帯びている従来の認知症予防策に代わる新しい予防策の可能性を模索する。

第2章では、マレーシアなど東南アジアを専門とする金子から東南アジアに視点をおいたアジアが語られる。そもそも共産国家への国家連合として形成されたASEANは後に枠組みを急激に拡大し、今後の経済発展の可能性からその重要性は日に日に増している。しかし東南アジアの多くの国は中国と領土／領海問題を抱えて政治体制や安全保障上は米国側に属する一方、経済的には一帯一路として中国に依存するジレンマを抱える。米国の政権交代もあって揺れる東南アジアから、アジア論の新地平を考察する。

第3章では、日本財界と政治との関連を専門とする菊池が日本視点からのアジアを視る。池田内閣以降の日本の歴代内閣の対アジア戦略や中曽根内閣以降の新自由主義改革、そうした国家への同友会や経団連からの関与が丹念に追われる。戦後賠償から日本経済の勃興、NIES、中国、東南アジアの成長を経て環太平洋へとアジアの地平が拡大する過程を時系列的に扱うと同時に、米国の求心力低下や政権交代で激動するアジアに対する日本政府の戦略を、経済／新自由主義と政治／国家の相克の視点から紐解いていく。

第4章では、沖縄問題を専門とする星野から日本の中でも異質性を有す沖縄、琉球の万国津梁の視点からアジア論が説かれる。内地から見えるアジア、沖縄から見えるアジア、他者としてのアジア、同胞としてのアジア、加害者としてのアジア、被害者としてのアジア、脅威としてのアジアなど、内地からでは見えないアジアを解き明かすとともに、それでも「見えないアジア」という重要な視座が提起される。

第5章は、唯一の外国人研究者（トルコ）でトゥーラン主義を専門とするシナン・レヴェントから、イラン石油の欧米メジャーを介さない輸入に至る政策過程が詳述される。日本を南進、太平洋戦争に駆り立てたのは石油を断たれたことによるが、その現代文明の血液たる石油における西欧メジャーとの関係を通じ、イランを突破口として日本と西アジアとの関係性、新たなアジア論の展開が見えてこよう。

本書は、大学生のアジアからユーラシアへの理解を通じて「世界からあらゆる争いがなくなり、地球上のすべての人びとが調和のとれた平和な社会」を実現すべく、一般社団法人ユーラシア財団from Asiaからの助成をいただき開講された東北福祉大学の講座「アジア共同体に向けて」を契機とした研究をまとめたものである。講座設立及び本書企画に深く関られた長谷川雄一先生並びにこれまで本講座で講義頂いた多くの研究者、とりわけ助成を頂いたユーラシア財団from Asiaには深く感謝申し上げたい。

二〇二二年三月吉日

編者　萩野寛雄

目次

第2章　変わる東南アジアの地域秩序

――中国の台頭と米中対立への対応をめぐって――　金子芳樹 46

第3章 現代日本財界のアジア戦略とその隘路——菊池信輝 92

第5章　アジアを結びつけるものとしての石油 ——日本・イラン間の資源外交——

シナン・レヴェント　186

第１章　東アジア的「老い」を視点に入れた新しい「認知症予防策」の可能性
―日韓・日本とフィンランドの共同研究を通じて―

1　はじめに

近い将来、現在の先進国が抱えている少子高齢化問題は確実に全世界共通の課題となる。公衆衛生の改善や医療技術の発達、その供給を普遍化する社会システムの整備は乳幼児死亡率を低下させ、平均寿命の大幅な延伸を達成した。それ自体は疑いなく素晴らしいことだが、特に先進国ではそれと同時に合計特殊出生率が著しく低下し、(1)高齢化と少子化が複合化された少子高齢化問題が発生している。この少子高齢化問題は、二つの課題を我々に投げかけている。

一つ目は、少子高齢化社会では若年労働力減少により労働力人口が不足し、経済成長が困難になる。

その結果、生産性革命に基づく経済成長をエンジンとして発達してきた一九世紀以降の「経済成長型社会システム」の維持が困難になり、これに地球環境問題が加わることでそれは限界を迎えつつある。ＳＤＧｓに代表される新しい社会、即ち「定常型社会システム」への大転換の必要性と、その対応のための「老い」に関するパラダイムシフトの必要性が本稿の扱う問題の一つ目となる。

二つ目は認知症である。平均寿命の延伸自体は喜ばしいことだが、高齢者数の増加は必然的に認知症を激増させ、社会問題化させる。特に少子高齢化社会では経済縮小によって認知症介護に割ける社会保障費が圧縮されるだけでなく、介護労働力も同時に不足してくる。もちろん、現在では認知症に関する国際研究協力が進んだ結果、世界各国で効果的な認知症予防策も開発されている。わが国でも認知症予防策が医療福祉政策として介護保険やその周辺サービスにメニュー化され、広く無料或いは極めて安価で提供されている。それなのに、遅々としてその利用が進まない現状がある。

本章は東アジアや北欧の国々の研究者との共同研究での知見を基に、まず上記の問題に対する根本的解決として東アジアに代表的な円熟の視点、結晶性知能の視点からの「老い」のパラダイムシフト、それによるエイジズムや認知症スティグマの払拭を提唱する。続いてそれが結実するまでの経過措置として、現在の認知症介護予防サービス利用の阻害要因たる認知症スティグマの影響が軽微な新しい「認知症予防策」の可能性を提示する。

2　世界と東アジアにおける少子高齢化と認知症の実態

(1) 世界における少子高齢化の現状

科学技術の発達は人類の食糧問題、栄養問題を劇的に改善した。工業化による大量生産大量消費社会の到来は世界の富の総量を激増させ、多くの国々に富をもたらした。その富によって医療技術や公衆衛生の改善や供給も進み、人類の健康状態は大いに改善された。乳幼児死亡率が下がるとともに、結核など不治の病とされていた病の治療法も編み出され、癌なども早期発見の場合の生存率が著しく伸びた結果、世界各国、特に先進国での平均寿命、健康寿命の延伸は著しい。(2) その成果として、全世界で高齢者は増加を続けている。

それと同時に、子供の教育費用の増大や非婚化、晩婚化等の複合的要因によって合計特殊出生率が著しく低下する少子化も進展した。(3) 平均寿命の延伸自体は深刻な問題ではないが、少子化と相まって総人口に六五歳以上の高齢者人口が占める率が高くなる社会の高齢化が進むと諸所の問題が発生する。フランスが一八六四年、スウェーデンが一八八七年に高齢化社会に突入して以降、(4) 先進国は相次いで高齢化社会を迎えることになる。その後、高齢化は更に進んで、オーストリアが一九七〇年、スウェーデンとドイツが一九七二年に高齢社会に突入、イギリスも一九七五年に同水準に達するなど、先進国の多くが高齢社会となった。[5]

わが国が高齢化社会を迎えたのは一九七〇年と遅いが、その後僅か二四年で高齢社会に達し、高齢化社会から高齢社会への移行に要した年数である倍化年数は世界最短だった。短期間での高齢社会への移行は様々な歪みをうみ、問題解決を更に困難にさせる。フランスが一一六年、スウェーデンが八五年、米国が七二年で高齢社会を迎えたのに対し、わが国の移行は急激だった。欧州でもフィンランドは倍化年数が三六年と欧州最速で高齢社会を迎えてわが国と同様の課題を抱え、高齢社会分野での日芬の共同研究が盛んなのはこれを一つの背景とする。

少子高齢化社会は現在も進展中である。二〇〇七年に日本が世界に先駆けて高齢社会から超高齢社会へ到達したのを皮切りに、二〇二〇年時点で既に日本、イタリア、ポルトガル、フィンランド、ギリシャ、マルティニーク、ドイツ、ブルガリア、マルタ、クロアチアが超高齢社会となっている。国連発表の中位統計予測では二〇二〇年時点での世界全体の高齢化率が九・三%なのに対し、二〇四〇年には一四・一%と世界全体が高齢社会となり、二〇五〇年には一五・九%とされる。そして二〇三〇年には二八ヵ国、二〇五〇年には四二ヵ国が超高齢社会を迎えることとなる。[6]

(2) 東アジアにおける少子高齢化の現状

以前に一人っ子政策を採用していた中国は当然として、他の東アジア諸国も経済発展に伴って少子高齢化が進んできている。平井太規は東アジアに「第二の人口転換」が妥当するかといえば、日本、

図１　東アジア諸国の高齢化　三倍化年数

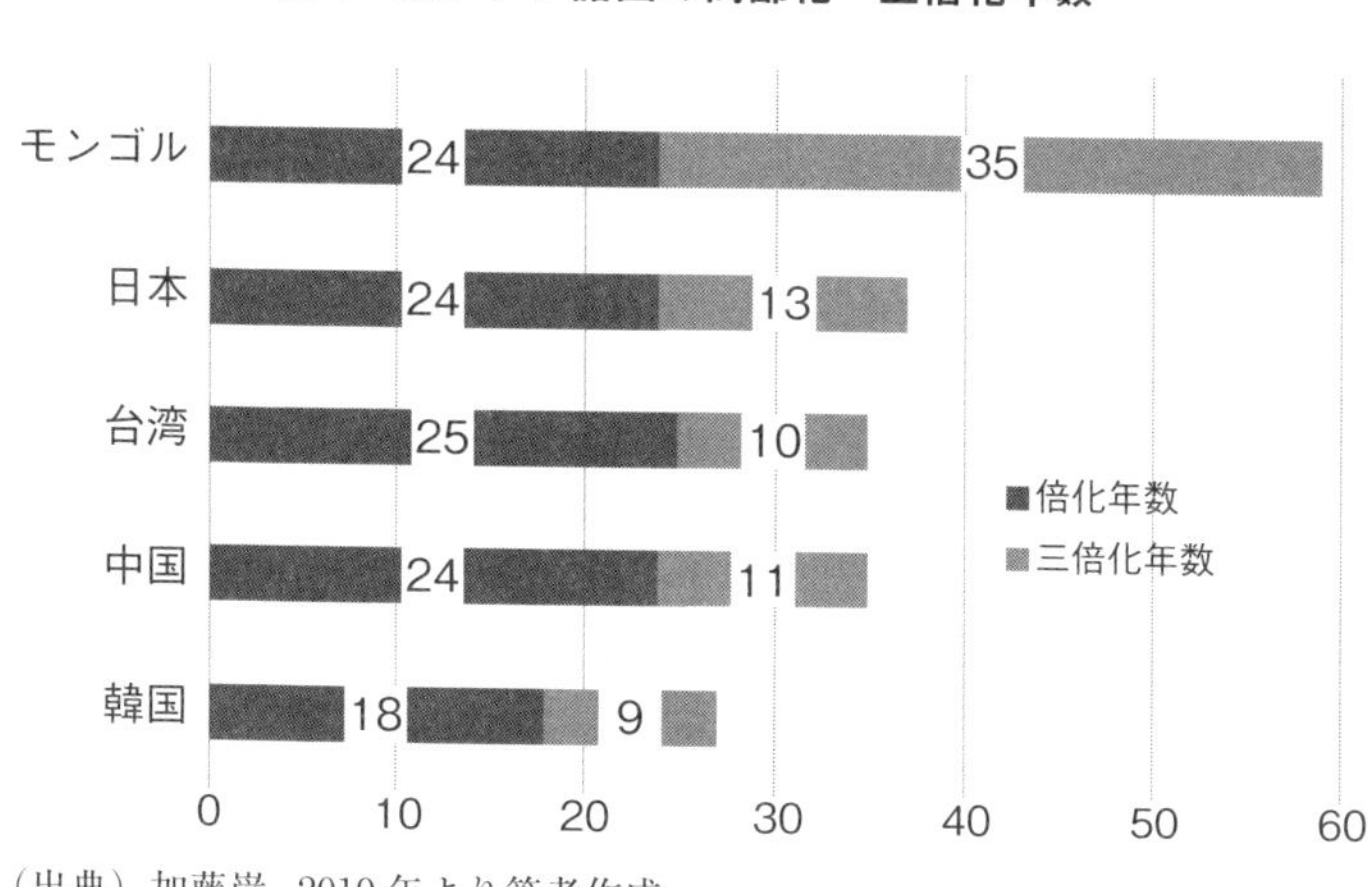

（出典）加藤巌、2019年より筆者作成。

韓国、台湾で性別選好の差こそあれ、一九九四年の結婚コーホートまでは妥当性があるとは言えないとしているが、[7]現状の出生率を見るに今後はむしろ発生する確率が高いだろう。加藤巌は、高齢化社会が高齢社会に至る年数を表すＤＥＳＡの「倍化年数」を発展させ、高齢社会が超高齢社会を迎える年数まで拡大した「三倍化年数」の重要性を指摘する。[8]東アジア諸国は遅れて高齢化が進んでいるため、現時点ではまだこの問題は深刻でない。しかしその倍化年数、三倍化年数を見るに、東アジアでは将来の少子高齢化問題がわが国以上に深刻となるのが予期されている。日本は世界最短の三七年で超高齢社会を迎えたが、東アジア主要国は韓国二七年、中国、台湾三五年と日本を超える年数で倍化、三倍化を迎える（図１）。遠くない将来、超高齢社会問題は東アジア諸国の共通課題となる。

（3）世界における認知症の現状とその国際協力

高齢化が既に高水準に達している先進諸国では、高齢者の中でも特に七五歳以上の後期高齢者が増加してる。超高齢社会に達した日本、ドイツ、イタリアでは高齢者の半数以上が七五歳以上となっており、二〇五〇年の日本、韓国、イタリア、スペイン、ギリシャでは七五歳以上の後期高齢者だけで人口の二一％を超えるとされている。後期高齢者増加で深刻化するのが認知症である。新オレンジプランによれば、最も早く超高齢社会となった日本では二〇一二年に高齢者人口の一五％（四六二万人）だった認知症が、二〇二五年には二〇％（約七〇〇万人）、本稿が主対象とする軽度認知障害（ＭＣＩ）を加えれば実に一三〇〇万人を突破すると推計されている。全世界で見れば、ＷＨＯ推計は認知症患者数を二〇一八年に五〇〇〇万人、二〇三〇年には八二〇〇万人、二〇五〇年には一億五二〇〇万人と予測している。他の多くの諸国も超高齢社会となる二〇五〇年以降は、世界各国が認知症という同じ課題を抱えるであろう。

認知症に関する医療、学術面での国際協力は、一九八四年設立の世界各国のアルツハイマー病協会の国際連盟組織ＡＤＩ（Alzheimer's Disease International）などで進められていた。認知症問題が先進各国の深刻な共有課題となると、政策レベルでの国際協調も進んでいった。二〇一三年のロンドンＧ８認知症サミットでは、認知症研究のグローバルな協力推進が合意されている。そこにはＧ８各国の政府代表の他、ＥＵ、ＷＨＯ、ＯＥＣＤの代表、各国の学界、企業代表者が集い、各国の施策や認知症研究の現状と課題について議論が交わされた。その宣言と共同声明では、認知症の影響を受けている人々の生活を改善し、二〇二五年までに最初の治療が可能となるように疾患修飾薬（Disease-modifying drug）の開発を加速する歴史的コミットメントがなされ、国際的な専門知識を結集したイノベーションの促進、研究情報共有のビッグデータ構想で合意した。その宣言の11では「市民社会に対し、スティグマ（偏見）、疎外及び不安を緩和する世界的な取組を継続・強化するよう要請する」が含まれ、認知症の理解を推進することが重要とのコンセンサスがなされている。二〇一四年には日本でその後継会議が開催され、「新しいケアと予防のモデル」をテーマに活発な議論が交わされている。

3　経済成長型社会システムにおける流動性知能と認知症スティグマ

（1）従来の経済成長型社会における資源としての流動性知能

堺屋太一は、近代工業社会の特徴としてわが国の風潮となっていた「嫌老好若」[9]を改める必要性を提起した。[10] わが国では近代化から産業化が進む過程で脱亜入欧を目指し、新しいものを良しとし、効率性を強く重んじる社会になっていった。これは精神主義の物質文明に対する敗北とも解せられる第二次世界大戦敗戦によって、戦後は一層進んだといえよう。

人類の歴史を見ると、古代ギリシャやローマ時代などの近代以前にも同様の嫌老好若があった。[11] これが産業革命、科学革命以降は著しくなり、西洋諸国（西洋化された国々を含む）は科学技術を中心に生産性、効率性を高め、経済的にも資本主義がその典型だが、常に成長を前提とする自転車操業で発展してきた。自らの終わりなき欲望や煩悩の充足、物質的な富の拡大こそが善と疑わず、そのためには、人種、宗教、言語、文化、価値観の異なるものとの共存を拒んで争ってきた。人類は自らを万物の霊長と自負し、生産や消費、利潤追求といった経済活動のためであれば、自然や環境を破壊することも厭わなかった。無限のフロンティアを妄想し、右肩上がりの経済成長こそ幸せになるための永遠に続く唯一の目標、指標とされ、経済成長型社会システムが自明とされた。その中で食糧問題や疾病、災害等の多くの危機は解決され、平均寿命も延伸した。その結果、科学文明の進歩が必ず人類の幸福につながるとする一九世紀的な楽観論の中に人類はかつて安住できていたのである。

こうした従来型の経済成長型社会、即ち生産性・経済成長志向の社会システムでは、人間の労働力の源泉として、IQテストで測定可能な「流動性知能(fluid intelligence)」が重視されてきた。流動性知能とは，いわゆる頭の回転の速さや思考の柔軟さに相当する知能である。これは一〇歳代後半から二〇歳代前半にピークを迎え、その後は環境や経験によらず、日々の脳の微細な損傷の蓄積に大きな影響を受けて低下し続ける。生産性や効率性を第一義に志向する経済成長型社会では、目標は揺ぎ無く確実なので、それに向けた有用性、最大効率性で能力が測られたが、IQへの傾斜はその典型である。この点からすれば、多くのプロスポーツ選手が肉体的のみならず、精神的、認知的な反射神経の老化による機能の不可避的低下によって人生の半分以上を残して引退を強いられるように、人間の知能、各種能力のピークは二〇代~三〇代ということになる。そして、労働能力で人間の価値を測りがちな経済成長型社会では、人間の価値も若年時代を頂点に失われていくものとなる。

いわゆる人口ボーナス期には、こうした流動性知能が豊かで気力、体力に溢れる若年労働力を中心に開発成長を進めることができた。その社会では、経済成長につながる産業により良く寄与できるか否かの労働能力で人の知能や能力、ひいては価値が測られがちである。そこでは高齢化、即ち「老い」はネガティヴにとらえられる。「若さ」を失うことは体力だけでなく、気力や集中力などの瞬発的な知能、能力を失うことになり、効率的な労働能力、ひいては価値を喪失したものとして「定年」に代表されるように社会から「引退」を強いられる。これは特に男性退職高齢者のレゾンデートルの喪失、自己肯定感の低下、燃え尽き症候群へとつながっていく。即ち、「老い」とはこうした機能、能力、価値を喪失する過程であり、社会のお荷物となった存在としての高齢者観が形成されるのである。「嫌老好若」の考えが社会に広く共有されることで、それは高齢者自身の中にも内在化され、高齢者は社会のお荷物、人に迷惑をかけるものという意識が生まれていく。

しかし、生きとし生ける全てのものは、産業に寄与できる流動性知能に基づく機能を老化とともに喪失していくのが運命である。老いとは身体的、精神的諸機能の減少や喪失といった客観的なものだけでなく、それを社会やひいては個人がどう受容するかの枠組みの問題でもある。社会が高齢者をこのように知能、機能、能力、価値を喪失した存在とみなす時、そして高齢者自らがそれを受容するとき、高齢者は本当の高齢者に「成る」のである。[12]

（2）老いや認知症に対する社会的スティグマ

残念ながら現在の社会にはこうした能力感が未だに強く、「老い」をネガティヴに考えるスティグマが、何より高齢者自身に内在化されてしまっている。その典型が「エイジズム＝高齢者偏見・差別」である。「サクセスフルエイジング」等の命名者としても著名なButlerは、高齢者偏見・差別としての「エイジズム」の概念を最初に唱えた研究者で、「社会がこの高齢者ステレオタイプ、高齢者神話をいかに乗り越え、その偏見を打破していくためには何をすればいいのか、どう戦えばよいのか」という視点に立ち続けた。[13] これは社会の側が高齢者に投げる視線の問題だけではなく、「自分はまだそんなに耄碌していない」「高齢者扱いされたくない」との防衛機制のように、高齢者自身の内部にも見いだせる。「老い」には老衰・老醜・老残などの熟語が示すようにネガティヴな感じがつよく、死への近さが暗い影として覆いがちであったのである。[14]

老いに対するスティグマ、防衛規制の究極が認知症であろう。認知症はしばしば、「生命の尊厳」に関わる事象で、時には「精神的な死」とまでされる。しかし、この考えた方は善であろうか。こうした認知症観が社会に共有されていることは、認知症スティグマが広く形成され、それが高齢者自身に内在化されていることを示している。既述のADIは『世界アルツハイマーレポート2012』で認知症スティグマ克服に絞り込んだ提言を行っている。認知症への社会の心理的障壁克服に向けた公共啓発、認知症の人の社会的孤立緩和、認知症の人の当事者メディア確保、認知症の人とその介護者の権利の承認、地域社会への認知症の人の参加促進等の心理社会的支援と社会的包摂の原則を組み込んだ社会的アプローチからの一〇項目を、国際社会や各国政府に向けて勧告している。[15] 英国アルツハイマー協会も『Dementia: Out of Shadows』で早期発見、心理社会的支援、社会的包摂を原則とした五項目を提言し、地域の指定かかりつけ医（GP）の認知症への理解と認知症発見能力の向上、認知症専門家の鑑別的アセスメント・サービスの向上、適時適切な情報提供、認知症の人の社会的統合に向けたピアサポート・ネットワークの強化と並べ、社会のスティグマ軽減に貢献しうる「認知症に関する公共的理解の促進」を織り込んでいる。[16] この両者は共に認知症に対する無理解や先入観、偏見や恐れ、回避や排除などを「スティグマ」と捉え、それが認知症の人に対する不利益の原因としてその低減を主張する。これを受けて、ロンドンG8認知症サミットでスティグマ解決に向けた宣言がなされたのは既述の次第である。しかしこのような宣言がなされること自体が、社会にスティグマが存在する証拠であろう。

（3）認知症スティグマに関する主な先行研究

認知症スティグマの先行研究は、筆者と共同研究を行っていた小笠原浩一の著作にまとめられている。[17] 世界保健機構（WHO）および世界精神医学会（WPA）の「Reducing Stigma And Discrimination against Older People with mental Disorders」[18]（2002）では、Goffman の古典的な定義を基にスティグマ[19]を「特定のやり方で社会から信頼されなくなるような属性、行動、評判であり、それは個人が、他者によって、社会で受け入れられている普通の存在としてではなく、歓迎されない拒絶的な固定観念のもとに心理的に類別されることを意味する」と定義し、「一定の個人やグループが恥をかかされたり、排除されたり、差別されたりするプロセスから生じる」状態をスティグマとした。[20] Link と Phela はスティグマ・プロセスを動態的に構造化し、「特徴付けのレッテル貼り、偏見的先入観、隔離、社会的立場や居場所の喪失、差別処遇が一定の権力関係において同時に起こることでスティグマを構成する諸要素が顕在化する」と定義する。[21]

これらのスティグマを具体的に測定する先行研究としては、認知症を高齢化の不可逆的な兆候と捉え、本人の個人的な生活の質を優先する認知症ケアの方法を構想した「Dementia Care Mapping（DCM）」[22]がある。「人間中心のケア」の考え方を基盤にしたDCMは、認知症への恐れと差別的処遇に焦点を当てる。専門家が認知症の本人の日常生活行為を観察したうえでそこにインディケーター解釈を加え、二四のドメインの快不快を得点化して仕分けるものである。これによって生活の質が可視化でき、ケア方法の改善につなげられる。DCMは、認知症を特別な疾患としてラベリングする医療的アプローチが生む「認知症への恐れ」や、医療中心の対応プロセスに組込まれた認知症への差別的処遇から生まれる「社会心理的な偏見的先入観」を問題視した。DCMはそれらを減らし、「個人にとっての妥当性の確認」を優先させる戦略目標から開発され、社会的認知症スティグマから個人を防衛するケアの方法体系を目指すものである。

ダブリン・トリニティカレッジ看護・助産学科の「スティグマの六次元説[23]」は、エドワード・ジョーンズらの社会的スティグマ研究方法を「認知症スティグマ」の構造分析に応用している。スティグマを、隠秘性、経時変化、断絶性、関係の阻害性、烙印の度合いと狼狽効果、発生環境と責任主体、危険性の性質と切迫性、の七つの次元から構成される行動病理体系とし、状態コントロール変数を発見しようと試みている。

オーストラリアの「ウォロンゴン大学スケール1、2」[24]は、認知症スティグマを意識・認識の次元で分析し、従来の「否定的スティグマ」に対し「肯定的スティグマ」を追加した。調査票設計は、認知症への排除・回避意識の構造分析、認知症に対する肯定的イメージや行動心理の解析、それに、新たな視点である「もしあなたが」の仮想認識を問う三部構成となっており、「自己スティグマ」の存在と人間関係の阻害要因を検出できるよう工夫されている。

（4）わが国の認知症スティグマの様態

筆者は二〇一五年の厚労省老人保健事業推進費等補助金による研究事業「認知症早期発見・初期集中対応促進に資するアウトカム指標と定量的評価スケールの開発に関する調査研究」に参加した。その成果を東アジア諸国との国際比較を行う為に二〇一五～二〇一六年にかけて行われた日本学術振興会と韓国研究財団の二ヵ国間交流事業「コミュニケーション、協働型社会、政策イノベーションを通じた認知症スティグマの低減」にも参加し、韓国のハンリム大学と共同研究事業を行った。そこで報告したわが国の認知症スティグマの様態をまとめよう。[25]

右の研究では、わが国における認知症スティグマの様態を明らかにするため、定量的、定性的調査を行った。定量的調査は介護職員と一般市民の双方を調査した。介護職員は全国一〇の社会福祉法人、民間介護事業所に働く直接介護職員、間接部門職員に、自記式マークシート回答で行った。調査実施期間は二〇一五年一一月中旬～一二月初旬、職場一斉配布、本人投函の郵送回収で実施され、有効データ数は二八九四だった。一般市民調査は、職員調査対象介護職員家族に一般市民調査票を持ち帰ってもらい、家族、親族に協力を依頼して自記式マークシートで回答、本人投函の郵送回収で実施した。実施期間は職員調査と同期で、有効データ数は一七八九だった。

職員書面調査と市民書面調査のデータを統合、解析した結果から、認知症スティグマ度改善アウトカム評価指標として、「倒置的認知症観」と「受容的認知症観」の二つの下位因子及び二一項目から構成される要素を抽出した。「倒置的な認知症観」とは、認知症者に対する無能、低能、侮蔑、差別、無関心等の否定的な見方や態度を意味している。「倒置」とは、人に関する所与の正常観があり、それを倒置した見方で認知症の人を観ている認識状態のことを表現している。もう一つの「受容的な認知症観」とはこの反対で、認知症者に対する尊敬、親しみ、良好な人間性等の肯定的な見方や態度を意味している。「受容」とは、人に関する所与の正常観があり、それを認知症の人についての観方にも変更する必要はないという認識状態を表現している。しかし後者も、広義の意味でスティグマとなりえることが重要である。

定性的調査としては、介護保険制度上の介護事業を営む社会福祉法人、民間事業者で認知症介護に直接関わる業務経験のある職員を対象に、直接対面の聞取り調査を実施した。調査者による対面方式で聞き取り時間は一職員当たり一時間、調査対象となった職員数は八法人八五名で、実施時期は二〇一五年九～一〇月であった。調査内容は、教育経路、保有資格、職務職掌、認知症介護業務に関する経験量、認知症に関する基礎的知識、認知症の人との初回対面時から今日までの認識変化、他者のスティグマ状況に関する観察、ケア実施や関係形成上の工夫、認知症に関するマスメディア情報の受け止め方、認知症施策への評価からなっている。

調査の結果、スティグマの実態については利用者本人の自己スティグマ、家族が認知症に対して有するスティグマ、家族が家族関係の経路の中で利用者本人に対して有するようになるスティグマ、地域社会が認知症に対して一般的に有するスティグマ、地域社会が具体的な認知症の人やその介護家族に対して持つスティグマ、利用者同士の小社会に発生するスティグマ、介護職員が認知症利用者に対して持つスティグマ、等の多様なスティグマの拡がりや状態を析出することができた。特に、自己スティグマと家族の認知症へのスティグマ、それに地域の認知症に対する無理解や誤解が、認知症の早期発見につながる受診の促しを阻害していることが把握できた。また、専門医に関する情報の不足や地域の「かかりつけ医」の認知症診断能力や処方の知識不足により、せっかく受診があっても十分な早期発見に結び付けられない現状も検出できた。このように、わが国の介護職員や一般市民にも認知症スティグマが存在し、その様態も既述の先行研究に類似していることが分かった。

4 定常型社会システムにおける結晶性知能と円熟としての東アジア的「老い」

（1）定常型社会システムへの移行

広井良典が提唱したように経済成長を前提とする社会システムは、二一世紀には最早うまく機能しない。[26] その要因の一つが、本章1節で既に触れた少子高齢化とそれに伴う人口減少である。それらにより労働人口（特に若年労働力）が減り、GDPで測定可能な経済成長の持続は不可能となる。二一世紀半ばには世界のほとんどの国が、総人口に占める生産年齢人口と従属人口比率が絶対的に少ない人口ボーナス期を終え、人口オーナス期に入る。深刻な少子高齢化により経済成長と生産性革命の限界に遭遇し、成長戦略に替わるものとして定常型経済[27]への移行が必要となる。経済成長の源泉たる（市場経済において展開可能＝貨幣で測定可能な）需要が成熟、飽和状態に達したため、経済活動それ自体の持続性を考え，経済の規模の「定常性」が要請されるようになって来るのである。

二つ目は、環境問題から来る制約である。資源や自然環境の有限性、自然自浄能力の限界などが自覚されるようになり、このままのペースで経済活動の加速を続けると自然環境が悪化して深刻な環境問題につながることがわかってきた。市民の環境意識が高まるとともに、京都会議から始まる一連の地球温暖化対策を含めた国際協調も進み、以前のように自然環境に負荷をかける形での経済成長、自然開発は行いにくくなっている。定常型社会は、こうした少子高齢化社会と環境親和型社会を結びつけるコンセプトでもある。

（2）定常型社会における資源としての結晶性知能

こうした社会の変化に伴い、社会の必要とする資源、人間の知能に対する考えも大きく変わってきた。生産年齢人口が減少し、それ以外の従属人口が増大していく人口オーナス期は不可逆的である。従来の定義による労働力人口が減少し、重荷、負担（オーナス）とされていた人口が増加すると、労働力不足や貯蓄率低下により長期的な成長力が低下し、また社会保障制度維持も困難となる。流動性知能に溢れた豊富な若年労働力を土台としてきた経済成長型社会システムは転換を強いられる。

新しい定常型社会では、従来の生産年齢人口と従属人口の考え方、それに基づく資源としての人間の知能の定義も変わらざるを得ない。これは「老い」を否定的側面や機能喪失からのみ捉える視点から脱し、「老い」や加齢によってもあまり低減しない、むしろ成熟していく知能を社会統合推進の資源という肯定的側面から再評価する試みである。その際に注目されるのが結晶性知能（crystallized intelligence）である。

西田の知能とエイジングに関する研究動向まとめによれば、[28] 流動性知能と結晶性知能を類型化したのは Cattell と Horn である。結晶性知能は、過去の学習や経験によって蓄積された一般的な知識やことばの知識、その運用力を含む能力であり、二〇歳以降も低下することなく、高齢に至るまでかなり

図2　知能の加齢変化

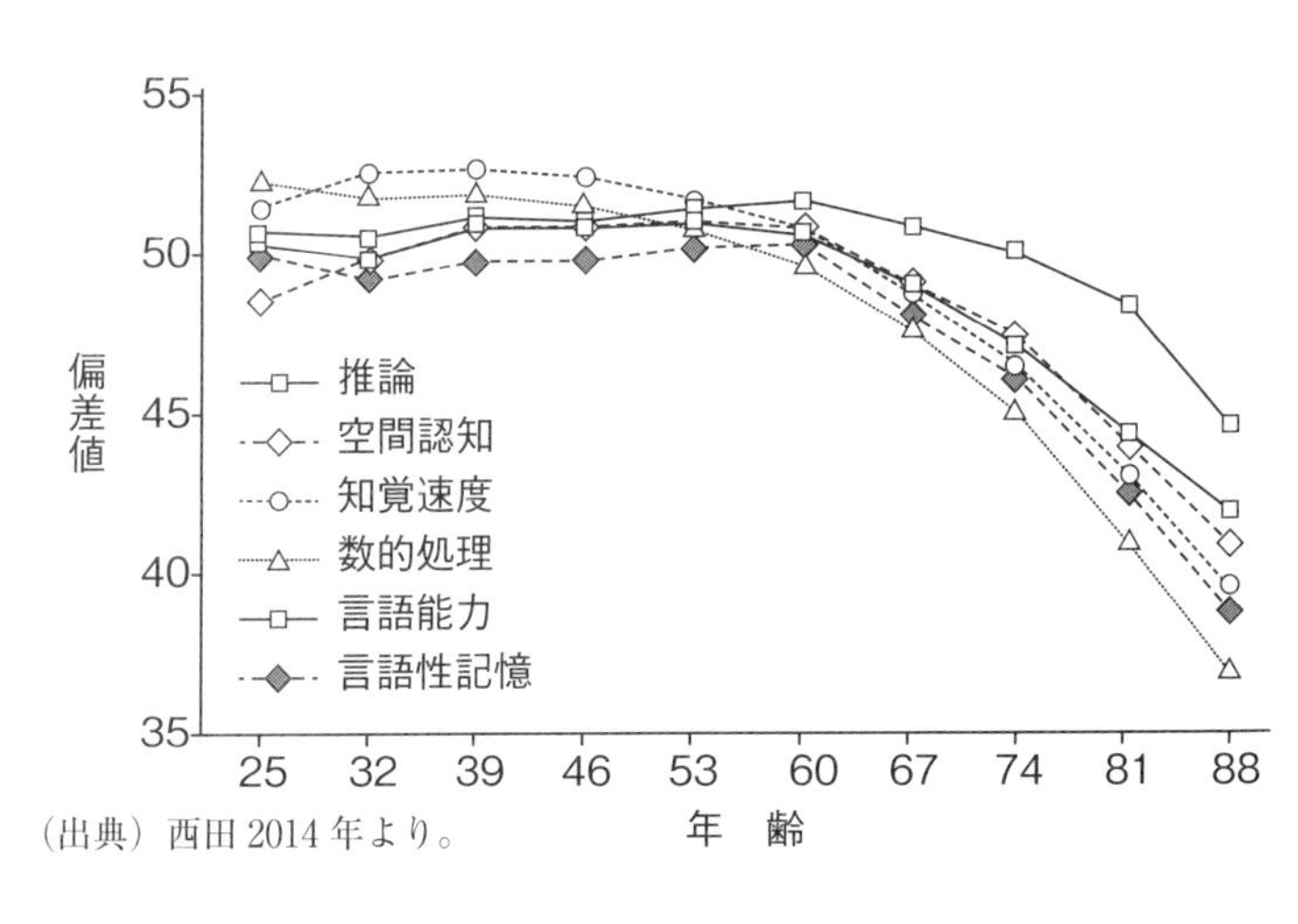

(出典) 西田2014年より。

安定していることが提唱された。

Schaie はこの分類を基に、知能を構成する多くの下位知能は一律に同一の発達過程を辿るのでなく、言葉の理解に係る下位知能「言語能力」は老年期に差し掛かる六〇歳前後が一生のピークと主張する。[29] 結晶性的な下位知能は加齢とともに上昇して、老年期に低下するとしても相対的に僅かである。

しかし一方で流動性的下位知能には早期から低下が始まり、その後も下降し続け、低下の幅も相対的に大きい。言葉を話すための「知覚速度」は、老年期には極めて著しく低下する。Baltes のモデルによるとこれは二〇歳前後より減少し始め、七〇歳代には二〇歳代の半分程度にまで低下してしまう。[30]

政治リーダーに高齢者が多くみられることや、わが国では一部上場の代表的企業で未だに高齢者がリーダーに就任していること、一方でプロス

図３　流動性知能と結晶性知能のイメージ図

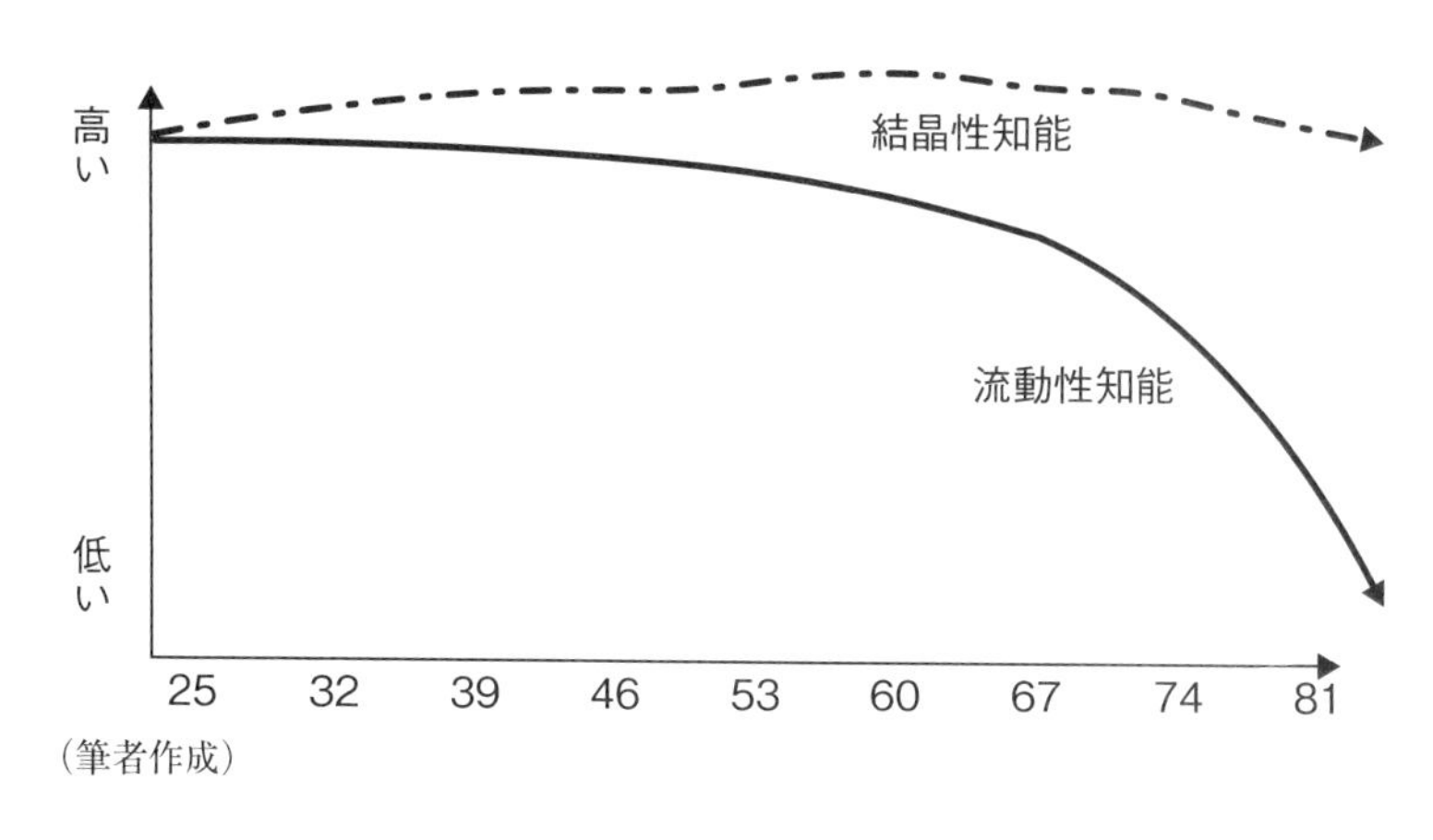

（筆者作成）

ポーツ選手の多くが早くから引退することなども、これと関連しているだろう。

井上はこれをまとめ、知能は加齢に従って一律に低下を示すものではなく、ことばの理解などで代表されるような経験や学習によって培われる結晶性知能は、むしろ老年期が人生のピークであり、その後低下するにしてもその低下幅は僅かである。それに対し、ことばを流暢に話したり一度に沢山のことを憶えたりする神経系や生理的な成熟に依存する流動性知能は二〇歳代をピークとして低下し続け、老年期はその最も低い時期とする。(31)

流動性知能と結晶性知能の視点から統合失調症の社会生活機能をみた佐藤らは、結晶性知能を「知識」、流動性知能は新しい問題、環境に直面した時にそれを解決する「能力」とする。豊富な社会経験や多くの知識量をもつ者は、困った状況が発生してもそのつど巧みな対処に練達している場合が多く、従来から蓄積された知識である結晶性知能と、それらを応用して使用する流動性知能の両方が不可欠であるとしている。[32] ＯＥＣＤが加齢と労働スキルの衰えに関する通説を見直す研究成果を公開したの[33]も、今後の不確実性の時代におけるこうした能力に注目してのことであろう。

（3）高齢者や認知症へのスティグマ緩和に向けて

高齢者は確かに、物理的な力や短期的集中力などの効率性では機能を低下させている。定まった目標に向けて最短距離で突き進む経済成長型社会では、それが最大効率の資源であっただろう。しかし知能とエイジングの研究からは、従来は価値を低く見積もられて労働能力を喪失したものとされていた高齢者にも、高い言語能力や推論能力、洞察能力がまだ残されていることがわかってきた。

今後到来する定常型社会では、成長よりも共生、自然環境や考え方の異なる他者との共存が必要となり、他者とそして自然と共生するための高い協調能力、即ち結晶性知能も流動性知能と並んで重要な能力、資源として活用が強く求められる。東アジアには古くから、「老い」を流動性知能的視点から「機能の喪失」としてのみとらえるのではなく、老荘思想に代表される「老い」を成熟としてとらえる伝統がある。即ち、「老い」を結晶性知能の円熟、新たなる「機能の獲得」とみる思想である。定常型社会においては、東アジア的な「老い」を円熟による「新たな機能の獲得」という肯定的側面からもみるパラダイムシフトが求められるだろう。それらを通じて社会参加などの社会包摂にも結びつけて高齢者に自信や活力を持たせ、社会の高齢者へのスティグマだけでなく、高齢者自身に内包されている自己スティグマも解放する時、即ち「老い」の肯定的受容が真に社会化された時、認知症予防の阻害要因となっていた「老い」や認知症へのスティグマは低減、解体されるであろう。その時には、現在研究開発が進んでいてもスティグマによって利用が阻害されている認知症早期発見、早期鑑別、早期介入が進んでいくであろう。

しかし本章3節で明らかにしたように、現状では社会や高齢者にスティグマは現存する。そこであくまで経過措置ではあるが、現存するスティグマを所与のものとし、その影響が軽微な予防サービスの開発、供給によって現在でも認知症の早期発見、早期鑑別、早期介入を少しでも推進することも必要である。

5　経過措置としての認知症スティグマが軽微な革新的予防策の可能性[34]

(1)　わが国における認知症予防策の現状[35]

認知症は脳の障害による病気で、代表例にアルツハイマー型認知症がある。現在、その主な予防方法は、認知症発症に関連する危険因子の減少、予防可能性のある防御因子の推奨である。認知症発症リスクを高める危険因子には「加齢」「女性」「遺伝」など、判明していても回避困難なものもある一方、回避可能な危険因子には「糖尿病」「高血圧」「脂質異常」「肥満」「メタボリックシンドローム」「タバコ」「頭部外傷」「悲観的姿勢」などがあり、多くは成人期から高齢期に注意すれば予防効果が見込める。

認知症予防は、健常者と認知症の中間にあたるＭＣＩ（Mild Cognitive Impairment：軽度認知障害）で検討されることが多い。ＭＣＩの判断基準は「記憶障害の訴えが本人または家族から認められる」「客観的に一つ以上の認知機能（記憶や見当識など）の障害が認められる」「日常生活動作は正常」「認知症ではない」の四つである。ＭＣＩは認知症と似た症状が出現するが、「日常生活に支援が必要」などの認知症診断基準を満たさないため、正常範囲と認知症の間のグレーゾーンともいわれる。しかしＭＣＩも放置すると五年後に五〇％の人が認知症を発症するといわれ、適切な対応が重要である。ＭＣＩには認知症のごく初期の人もいれば、廃用症候群が原因による場合もあり、適切な対応で正常に戻る場合もある。他に、ＭＣＩの状態のまま正常に戻るわけでも認知症が発症するわけでもない人たちも含まれるなど、ＭＣＩは症状は同様でもその原因が異なる人たちも含まれている。ＭＣＩから正常に戻る人の特徴としては、運動習慣がある人、好奇心旺盛でチャレンジ精神の旺盛な人などがあげられ、予防としては次の六つがあげられている。

①**運動習慣**：運動強度は強くなくとも継続する運動習慣が重要で、特に深い呼吸で空気を体に取り込みながら行う有酸素運動は、持続的に体内に酸素を取り入れ、酸素によって脳に活発に血液が運ばれ、脳の血流が増加し、脳が若く保たれることが明らかになっている。

②**食生活改善**：偏った食べ方をせず、不飽和脂肪酸を含む魚、ビタミンＣ、Ｅ、βカロテンを含

む野菜や果物など、予防効果が期待できる色々な種類の食べ物をとることが重要である。

③**十分な睡眠**：夜間の十分な睡眠確保が重要で、短い昼寝（三〇分程度）には予防効果はあるが、長時間の昼寝は夜間の熟眠感を低下させて発症リスクが増大する。決まった時間に起床し、日光をしっかり浴び、日中はよく活動することも大切である。

④**人との交流**：人との交流には、相手の表情から気持ちを推測したり、社会の中で予定を立てて行動したりすることができ、脳の機能維持に効果的といわれる。

⑤**知的行動**：知的行動は脳への刺激において効果的である。好きなチェスや将棋などのボードゲームやパズルやゲームへの挑戦や、手紙や文章を書くなど自宅でできることの他に、興味のある美術館や博物館に行くなど外出を伴うものも予防効果が期待できる。

⑥**認知機能トレーニング**：ＭＣＩの段階で低下する認知機能はエピソード記憶[36]、注意分割機能、行動管理力（計画力）[38]である。トレーニングは楽しみながら脳に刺激を与えられるよう、以前から興味があったものから試すとよい。体系的にトレーニングできずとも、会話機会を増やすこともトレーニングになる。トレーニングする際、楽しめないとトレーニング自体がストレスになり逆効果の可能性があるので要注意である。

認知症予防に関する研究は世界レベルで進み、右記の効果を見込めるエビデンスに基づいた介護予防プログラムが、早期発見、早期鑑別、早期介入による予防と進行抑制のために開発されている。それは高齢者福祉政策に組み込まれ、無料もしくは安価で容易にどこでも利用できるようになっている。

なのにその利用は遅々として進まず、期待される予防効果を果し得ないでいるのはなぜだろうか。

(2) 介護予防サービスの利用阻害要因としてのスティグマ

筆者は、二〇一〇年度老人保健健康増進等事業として、地域支援事業における通所型介護予防事業の利用阻害要因に関する調査研究[39]を行った。仙台市老人クラブ連合会加入の高齢者一〇〇〇名と仙台市内の全四四地域包括支援センターに介護予防事業についてのアンケートをとり、高齢者六二九名、二五センターから回答を得た。その結果をクロス集計し、介護予防サービスの利用阻害要因を「専門職の眼」と「高齢者の意識」の双方から比較、解釈した。

そこでは、高齢者が「介護予防プログラムを使わない理由」(複数回答)として答えたのは、「自分はまだ介護予防が必要な心身の状態ではない」が六六%、「自分は特定高齢者だとは言われていない」が四三・六%、「自分自身で健康・体力づくりに取り組んでいるので必要ない」が三八・五%、「自分はまだ介護予防をする年齢だとは思っていない」が三一・七%となっている。

一方、理由として予想に反して少なかった回答として、「地域包括支援センターの助言に納得できない」「受けたいが足の便などで条件がない」「自分の考えや意見を反映したプログラムでない」「指導されるプログラムは好きではない」「集団プログラムは好きではない」「自宅訪問されるのは好きでない」などは少数にとどまった。

もちろん、介護予防プログラムの参加阻害要因は複数あると思われるが、この結果から介護予防プログラムの内容自体ではなく、もう一つ前段階で利用が止まっている現状、即ち自分の晒されている客観的リスクや現状に対する自己の認知的不協和と介護予防プログラムへの拒否反応が高齢者の回答から見えてきた。

上記の利用阻害要因のうち、「自分は特定高齢者だとは言われていない＃特定高齢者指定を受ければやるが受けてないからやらない」の層は、認定層を拡大することで利用を促すことができる。「自分自身で健康・体力づくりに取り組んでいるので必要ない＃予防の必要性は十分に認識し、自分で十分にやっているから必要ない（プログラム内容が気に入らないからやらない）」の層は、自助努力による予防効果が望めるために喫緊の課題ではないし、魅力的なサービス開発によって利用を促進することもできよう。

しかし数量的にも最大であり、かつ対策が必要と思われるのが「自分はまだ介護予防が必要な心身の状態ではない」「自分はまだ介護予防をする年齢だとは思っていない」層である。そしてその利用を阻害している認知的不協和や介護プログラムへの拒否反応のもとになっているのは、既述した認知症スティグマの結果と照らし合わせれば「年寄り扱いされたくない」「認知症という眼で見られたくない」という社会や自己に内在化されているスティグマに対する拒否反応、防衛機制であった。こうしたスティグマを完全に払拭するには前節で述べた「老い」に対するパラダイムシフトが求められるが、それには時間がかかる。そこであくまでも緊急避難的経過措置ではあるが、そうしたスティグマを所与としたうえで、高齢者の拒否反応が相対的に低い認知症予防策が求められよう。

（3）スティグマの軽微な認知症予防策の可能性

既述のように認知症研究が進んだ結果、早期発見、早期鑑別による早期介入が効果的だと判明している。そのための効果的な予防策が政策によって整備され、無料や安価で利用可能な施策は実際に利用可能なのである。しかし一方で、その利用は遅々として進まない。その理由の一つが前項でふれた認知症や高齢者に対するスティグマであろう。

高齢者の利用阻害要因を排除し、早期鑑別を進め、効果的かつ持続的な生活に内在化された認知症予防サービス利用を進めるには、上記の利用阻害要因調査で「年寄り扱いされたくない」「認知症という眼で見られたくない」と、自身の機能低下に認知的不協和を起こしている高齢者自身に内在化された自己スティグマを解消することが肝要である。政府は既に認知症サポーター養成講座など、認知症の人だけでなく高齢者全般への社会的スティグマ解消に向けた施策を実施している。高齢者の結晶性知能を活かした社会包摂を進め、「一億総活躍社会」が文字通り構築されれば、社会だけでなく高齢者に内在化されてしまっているスティグマも解消されよう。

しかし、その実現には時間を要する。公的な認知症を含む介護予防サービス利用が進まない一方、直接的には認知症予防をうたわずともそれをテーマにした川島隆太教授監修のＴＶゲームや大人の塗り絵などの商品が大ヒットしたり、音読や計算、臨床美術などの各種サービスも自費利用されたりしていることを見るに、高齢者の認知症への予防意識は極めて高いと言えよう。こうした社会や家族、高齢者自身のスティグマが軽微なサービス、即ち高齢者や認知症のイメージを未だに色濃く帯びていない別な分野を活用した「新しい」サービスが普及すれば、現状でも「認知症予防」は進む。社会のスティグマが雲散霧消し、家族や高齢者自身がそれを気にしなくて良い社会が到来するまでの繋ぎとして、心理的負担、抵抗が少ないものなら利用されよう。

筆者は日本に次ぐ世界第二位のスピードで高齢社会を迎え、ヨーロッパでも早々と超高齢社会となったフィンランドの研究者と長らく共同研究を行ってきた。フィンランドはＮＯＫＩＡに代表されるようなＩＣＴ産業で経済成長を遂げたが、同時にそのＩＣＴ等の新技術を活用した医療福祉の革新的サービスを、急激な高齢化に対応するために開発・供給している。フィンランドは、他にも虫歯予防としてのキシリトールガムやノルディックウォーキング、近年では周産期から子育てまでの包括的支援策であるネウボラなど革新的予防サービスで注目されている。ここで大切なのは、高度な新技術だけが「新しい」革新的なイノベーションではないことである。従来からあるありふれたものを、別用途で活用して著しい成果をあげるのもイノベーションである。高度な新技術を用いてＶＲゲームのような楽しいゲームを提供するもののイノベーションであれば、旧型の加速度センサーなどを用いて楽しいゲームを提供するのもイノベーションなのである。

フィンランドとの共同研究に当たっては、高価な最新技術を利用した革新的な新しい方法ではなく、従来は認知症予防策として利用されていなかった方法、まだ認知症や高齢者福祉の手垢や色がついていないもので、高齢者のＭＣＩ改善に寄するような「新しい」革新的予防策を求めた。それぞれの国の先進事例を持ち寄る形で紹介しあい、それを一冊の本『New Ways of promoting Mental Wellbeing and Cognitive Functions』として出版した。(40) そこで紹介されたサービスには、コミュニケーションロボットなどそれほど高価ではないロボットを活用したもの、ＶＲを利用したコミュニケーション、ＩＣＴを活用した高齢者向け孤独防止策、効果的な睡眠介入によるメンタルヘルス増進策、臨床美術活用による高齢者の残存機能の実体化策、カラオケを利用した双方向の集団運動プログラム、口腔ケアによる認知症の間接的予防、母国の文化や風土を活かした高齢者ケアなど、日本とフィンランドの（今までの認知症予防とは無縁であったという意味で）「新しい」革新的な事例が紹介されている。

それらを大別すると、①ＩＣＴやロボティックスなど先進技術を活用しているが比較的安価なイノベーション、②先進技術ではないが、従来の高齢者福祉、認知症等とは無縁だった別分野を活用するイノベーション、③文化や歴史など、日常生活に「場」として認知症予防を組み込むイノベーションの三種類に分別できた。これらは5節（1）で紹介したエビデンスを持つサービスであると同時に、従来の認知症や高齢者に対するスティグマをまだ帯びていないという意味で、来るべきスティグマフリーな社会が到来するまでのつなぎとして、非常に重要な可能性を帯びていると思われる。

ただしいくら効果的でも、利用してもらえないと予防効果は期待できない。難しすぎたり、面倒くさすぎたりしては継続しない。そのためには面白いと同時に、生活の中に埋め込まれて生活の一部となる必要がある。文化依存性をよく考慮し、各国の文化や生活事情、風土を反映したものにせねばならないのは言を待たないであろう。

6　おわりに

本章では定常型社会の資源たる結晶性知能を強調する際、老荘思想を念頭に東アジア的との表現を用いたが、これは厳密には必ずしも東アジアに独占されるものではない。わが国では近代化と同時に科学文明が流入したため、産業化や富国強兵と嫌老好若の価値観を西洋的なものと捉え、それとアジアを単純に対比させる考え方もあるが、それは必ずしも正しくない。

中村雄二郎は、ギリシャ哲学以来の由緒ある知の形態たる「賢慮」を以下のように語る。[41] アリストテレスは『ニコマコス倫理学』の中で、個々の具体的状況で各人にとって善いこと有益なことを、部分的にではなく全体的に考え、そこに到る手段を見い出す働きを賢慮とする。この場合、「各人にとっての善」は必ずしも自分一人だけのための善を意味するのではなく、自分をも含めた共同体全体としてのポリスの善を考えるのも賢慮である。賢慮とは「自分自身の存在を巻き込む知」である、と。しかしこうなると、流動性知能としての「知」単体ではこれに該当しないだろう。中村は更に、賢慮はすぐれて経験的な知であり、永い間のいろいろな経験を通して得られた知であるとする。この場合の「経験」はパトス的な性格、パトスを身に引き受けた主体的性格を持っている。しかもこの知は、個々人の永い間の経験の蓄積の上に、自在に使いこなせる。だからこそ、それは、老実・老熟・老成と結びつくのである、と続ける。これこそ正に結晶性知能であり、アジア的「老い」によって培われる智慧である。

これから訪れる定常型社会では、アジアに伝統的に根ざしたこれら老実・老熟・老成によって得られた結晶性知能が流動性知能とともに資源として有効活用され、地球環境や高齢者、認知症の人を含む幅広い他者との共存が可能となること、そしてその結実までは緊急避難的な認知症予防策が広く利用され、効果的に認知症が予防されることを祈ってやまない。この分野での新たなる地平に、アジアが果たす役割は大きい。

注

(1) 従来の人口転換理論では、経済社会の発展に伴って人口動態の変化は「多産多死」から「多産少死」を経て「少産少死」に至るとされていた。しかし一九五〇～一九六〇年代以降のヨーロッパ諸国では、出生率が人口置換水準を超えてそれ以上に低下する「第二の人口転換」が発生している。

(2) 二〇〇九年の国連推計では、世界全体の平均寿命は一九五〇年の約四六歳から二〇〇九年に六八歳に延伸し、同時期に先進国の平均寿命は六五歳から七七歳に、発展途上国でも四〇歳から六六歳に延びている．この間、最貧国でさえ平均寿命は三五歳から五七歳に伸長している。ジョン・R・ウィルモス（石井太訳）「人類の寿命伸長：過去・現在・未来」『人口問題研究』第66巻第3号、国立社会保障・人口問題研究所、二〇一〇年。

(3) 国連推計によれば、一九五〇～五五年の平均で五・〇二の水準にあった世界全体の合計特殊出生率は、一九七五～八〇年の平均では三・九二と四を下回り、一九九五～二〇〇〇年平均では更に二・七九と三を下回った。二〇〇〇～〇五年平均では二・六五であり、先進地域では一・五六、発展途上地域でも二・九〇となっている。二〇四五～五〇年平均では世界全体では二・〇五、うち先進地域では一・八四、発展途上地域では二・〇七と推測されている。内閣府『平成18年版 少子化社会白書』二〇〇六年。

(4) WHOや国連の定義では、高齢化率（総人口に占める高齢者人口（六五歳以上）が七％を超えると「高齢化社会（aging society）」、一四％を超えると「高齢社会（aged society）」、二一％を超えると「超高齢社会（super-aged society）」と定義される。

(5) 厚生省人口問題研究所『人口統計資料集』による。

(6) UN "The World Population Prospects 2019 Revision" より。

(7) 平井太規「『第2の人口転換論』における『家族形成の脱標準化』の検証：日本・台湾・韓国の出生動向：子どもの性別選好の観点からのアプローチ」『フォーラム現代社会学』12（0）、神戸大学大学院人文科学研究科海港都市研究センター、二〇一三年。

(8) 加藤巌「人口が高齢化するスピードを測る指標の改善　『倍加年数』から『三倍加年数』へ」和光大学社会経済研究所（編）『和光経済』第52巻第1号、二〇一九年。

(9) 今は使われないが、わが国では冗談とはいえ「女房と畳は新しいほうがよい」との表現が長らく用いられてきたし、住宅市場でも新築神話が未だに根強い。国土交通省「既存住宅流通を取り巻く状況と活性化に向けた取り組み」（二〇一六年）によれば、わが国の全住宅流通量（既存流通＋新築着工）に占める既存住宅の流通シェアは約一四・七％（平成二五年）であり、欧米諸国と比べると一六～二〇％程度低い水準にある。これに対して一方で、「女房と味噌は古いほどよい」という格言もあるし、宗健「『日本人は新築好き』は幻想にすぎない」『日経ビジネス 電子版』二〇二一年三月二六日、のような反論もある。

（10）堺屋太一「高齢者を生かせ」『日本経済新聞』二〇〇三年六月六日朝刊。
（11）堺屋太一『高齢化大好機』ＮＴＴ出版、二〇〇三年。
（12）ボーボワールがかつて『第二の性』で「女は女に生まれるのではない、女に成るのだ」（Simone de Beauvoir, LE DEUXIEME SEXE, Librarie Gallimard, 1949、生島遼一訳『第二の性　女はこうしてつくられる』新潮社、一九五九年）といったように、高齢者も社会によってそう扱われ、自分でそう自覚することで高齢者に「成る」のであろう。
（13）松下正明「エイジズムから尊厳に満ちた地域社会へ：Butler RN の業績と３Ａ（Ageism, Abuse, Annihilation）現象」『老年精神医学雑誌』28（５）、ワールドプランニング、二〇一七年。
（14）中村雄二郎「老い」『述語集Ⅱ』岩波新書、一九九七年。
（15）Alzheimer's Disease International, *World Alzheimer Report 2012 : Overcoming the stigma of dementia*, London, 2012.
（16）https://www.mentalhealth.org.uk/publications/out-shadows、二〇二一年一二月二〇日閲覧。
（17）小笠原浩一「認知症早期発見の促進に効果のあるスティグマ低減手法の開発：調査仮説と調査設計 Development of Action Scales for Reducing Stigma on Dementia」『東北福祉大学研究紀要』41巻、二〇一七年。
（18）http://apps.who.int/iris/bitstream/handle/10665/67380/WHO_MSD_MBD_02.3.pdf;jsession id=3E867881937B5A11EC1E3016A9DC7F53?sequence=1
（19）Goffman, Erving, *Stigma: Notes on the Management of Spoiled Identity*. Englewood Cliffs, 1963.
（20）World Health Organization 15th World Psychiatric Association, *Reducing stigma and discrimination against*

older people with mental disorders. Geneva: WHO, 2002, WHO/MSD/MBD/02.3.

（21）Link, Bruce and Jo Phelan, "Stigma and its Public Health Implications", *The Lancet* vol 367,2006.

（22）Brooker, Dawn, "Dementia Care Mapping: A Review of the Research Literature", *The Gerontologist*, 45-1, 2005,Brooker, Dawn J. and Claire Surr, "Dementia Care Mapping（DCM）: initial validation of DCM 8 in UK field trials", *International Journal of Geriatric Psychiatry* 21, 2006

（23）Jones, E.E., Farina, A., Hastorf, A.H., Markus, H., Miller, D.T. and Scott, R.A.,*Social Stigma: the Psychology of Marked Relationships*. New York: W.H. Freeman and Company, 1984; The School of Nursing and Midwifery Trinity College Dublin, *Perceptions of Stigma in Dementia: An Exploratory Study*, The Alzheimer Society of Ireland, August 2006.

（24）Phillipson, Lyn, Christopher Magee, Sandra Jones, and Ellen Skladzien, *Exploring Dementia and Stigma Beliefs: A Pilot Study of Australian Adults Aged 40 To Yrs.*, University of Wollongone Centre for Health Initiative, Alzheimer's Australia, 2012.

（25）本項は、萩野寛雄「生命尊厳の観点から見た高齢者自殺予防策の一考察～認知症スティグマの調査結果を通じて」The 8th International Conference – The Dignity of Human Life its Meaning and Interpretation（二〇一八年三月一五日韓国ハンリム大学）招待発表提出原稿を基にするので、詳細は当該論文を参照。また紹介する調査結果については、特定非営利活動法人日本介護経営学会『認知症早期発見・初期集中対応促進に資するアウトカム指標と定量的評価スケールの開発に関する調査研究』（二〇一六年）および『東北福祉大学研究紀要』Vol 41（二〇一七年）に発表された小笠原浩一「認知症早期発見の促進に効果のあるスティグマ低減手法の開発：

調査仮説と調査設計」、石附敬／阿部哲也「認知症スティグマの低減に資する要因群の探索：大学生を対象にした試行調査を基に」、工藤健一「介護職員からみた認知症スティグマの分析：介護事業に働く職員へのインタビューデータのテキスト分析」を基にしている。

（26）広井良典「『持続可能な福祉社会』の構想――定常型社会における社会保障とは」『会計検査研究』№32、二〇〇五年。

（27）広井良典『定常型社会――新しい「豊かさ」の構想』岩波新書、二〇〇一年。

（28）西田裕紀子「知能のエイジジクに関する研究の動向」『老年社会科学』36（1）、二〇一四年。

（29）Schaie KW, "Intelligence and problem solving", Birren, J.E. andSloane, R.B, eds In *Handbook of Mental Health and Aging*. Prentice-Hall. 1980.

（30）Baltes,P.B.. "Theoretical Propositions of Life･Span Developmental Psychology: On the Dynamics Between Growth and Decline", *Developmental Psychology*, 23(5), 1987。

（31）井上勝也「高齢者の心理――知能と痴呆症をめぐって」『日本老年医学会雑誌』39巻1号、二〇〇二年。

（32）佐藤洋子、新山喜嗣「統合失調症の社会生活機能に対する流動性知能と結晶性知能の影響」『秋田大学保健学専攻紀要』23（1）、二〇一五年。

（33）Desjardins, R. and A. Warnke（2012）, "Ageing and Skills:A Review and Analysis of Skill Gain and Skill Loss Overthe Lifespan and Over Time", *OECD Education WorkingPapers*, No. 72, OECD Publishing. http://dx.doi.org/10.1787/5k9csvw87ckh-en

（34）本章で扱う「予防」は、器質変化を伴う病的認知症の予防ではなく、あくまで廃用性に基づくＭＣＩ予防や進行抑制の限定的意味で用いるのを注記しておく。

（35）この部分は Shinji Kato, "Preventive Care, Mental Health and Memory Problems among Elderly Japanese", Hiroo Hagino, Hannele Niiniö & Päivi Putkonen（eds.）*New Ways of Promoting Mental Well-being and Cognitive Functions*, Laurea Publications, 2018 よりまとめた。

（36）エピソード記憶とは、以前の出来事を時間や場所、一緒にいた人やその時の気持ちなどを含めて記憶する能力。

（37）注意分割機能とは、同時に複数のことを行ったり、複数のことに同時に注意を配ったりする能力。

（38）行動管理力（計画力）とは、外出や旅行、買い物などの計画を立ててそのとおりに実行する能力。

（39）萩野寛雄、工藤健一、岩田和樹『地域支援事業における通所型介護予防事業の利用阻害要因に関する調査研究報告書』（日本介護経営学会　平成二二年度老人保健健康増進等事業推進費等補助金（老人保健健康増進等事業分）による分担研究）二〇一一年。

（40）Hiroo Hagino, Hannele Niiniö & Päivi Putkonen（eds.）, *New ways of promoting Mental Wellbeing and Cognitive Functions*, Laurea Publication. 2018.

（41）中村、前掲書、四〇頁。

萩野寛雄

第2章 変わる東南アジアの地域秩序
――中国の台頭と米中対立への対応をめぐって――

1 はじめに――岐路に立つ東南アジア

創設から半世紀が経過した東南アジア諸国連合（ASEAN）が、いま重大な岐路に立たされている。ASEANを地域統合の枠組みとして重視しながら、地域の安定と統合および自律的発展を推し進めてきた東南アジア諸国だが、二〇一〇年代に入ると同地域を取り巻く国際関係がにわかに流動化し、従来の地域的な結束や安定が大きく揺らぎ始めた。

元来、東南アジア地域は様々な面において多様で凝集性に乏しく、かつ植民地時代の欧州列強から第二次世界大戦期の日本、さらに冷戦期の米ソ中など域外大国による介入や覇権争いが絶え間なく繰り返される舞台となってきた。そのような中、一九六七年にASEANが設立された。ベトナム戦争が激化するこの時期に、西側陣営に属する国家連合としてスタートしたASEANは、その後、東南アジア唯一の地域機構として発展を続け、域内に一定の平和・安定と地域統合をもたらした。そして冷戦後には、それまで戦火が絶えなかったインドシナ地域の社会主義諸国をも取り込んで東南アジア全域の「ASEAN化[1]」を実現させ、包括的な地域システムとして定着していった。

経済面では、ASEAN原加盟国のインドネシア、フィリピン、タイ、マレーシア、シンガポールがまず開放的な市場経済体制を取り入れ、米欧日の先進国から大量に流入した資本と技術ならびに政府開発援助（ODA）に後押しされて急速な発展を遂げた。後にASEANに加盟した国々も、このような開発システムの一角に加わることで経済発展の波に乗った。

政治面をみると、権威主義体制から民主化を果たした国、形式的には民主制ながら権威主義の特徴を色濃く残す国、さらに社会主義体制や絶対君主制を維持する国など極めて多岐にわたる。ただし、先進国が提供する開発システムに依存して近代化を進める過程で、程度の差や時間差こそあれしだいに民主化が進むか、もしくは権威主義的ながらもリベラルな要素が増えるといった傾向がみられた。そして、二〇〇七年に制定された「ASEAN憲章」の中では、「民主主義、法の支配、グッドガバナンス、人権と基本的自由」が目標として明記されたのである。[2]

域内の統合に加え、広くアジア太平洋地域の秩序形成でも、東南アジア諸国は積極的な役割を果たしてきた。域外大国を含む多くの多国間枠組みで「運転席」に座り、特定の国の影響力が突出しないよう大国間のパワーを中和または相殺するといった独特のバランシングで同地域のまとめ役として成果をあげた。それら枠組みには、ASEAN拡大外相会議、アジア太平洋協力（APEC）、ASEAN地域フォーラム（ARF）などが含まれる。

このように、多様な政治体制を持つ中小発展途上国の寄合所帯ながらもASEANは地域包括的な機構として拡大と深化を遂げ、東南アジア地域はこのASEANの機能をも活用しながら、政治的安定と経済的繁栄を比較的順調に進めてきた。それらの基盤となったのは、開かれた市場経済、国際協調主義、自由民主主義、法の支配といったリベラルな価値観や理念であり、それらを実現するための公共財となる制度やシステムは主に米国が提供し、日本とEU諸国がそれらを支えてきた。冷戦後の東南アジアの地域秩序はこうして形成され、定着してきたのである。

しかし、このような東南アジアの政治、経済、国際関係は、二〇一〇年代に入ると動乱期に入った。この地域をめぐる国際環境に急激な変化が生じたのである。その変化とは、端的に言えばパワー・トランジション（覇権の移行）、つまり新興国（中国）が国力を拡大する過程で既存の覇権国（米国）に挑戦し、覇権国は新興国の台頭を脅威と捉えてその抑制を図ろうとすることで両者の対立が深まる展開を指す。[3]

ただし、現在進んでいる状況は、単にパワーの優劣に基づく覇権国の入れ替わりだけの問題ではない。従来の地域秩序の基本原理となっていた価値観や規範、制度・システムの役割、公共財の種類や量、関係国の信頼関係や期待などの変化を伴うオーダー・トランジション（秩序の移行）[4]の要素も含み、より大がかりで複雑な様相を呈している。新興国たる中国は、二〇一〇年代からコロナ禍の二〇二〇～二一年を通して、従来の東南アジアの地域秩序を支えてきた米欧日とは異なり、既存のルールに基づく国際秩序からの逸脱をも辞さず、パワーによる国益増強と覇権獲得を目指す姿勢を鮮明にしてきた。また、覇権国たる米国の反応もこの時期に変化を見せ、中国と正面から対峙してその挑戦に「打ち勝つ」との姿勢が露わになってきた。こういった様相を呈する現下のトランジションは、否応なく深刻な影響を長期にわたって東南アジア地域に及ぼすことになろう。

本章では、このような覇権や地域秩序の行方をかけた二〇一〇年代以降の地殻変動が、東南アジア地域に具体的にどのような影響を与え、域内各国および地域機構としてのＡＳＥＡＮの対応や進路にいかなる変化をもたらしているか、またそれらが地域秩序をどう変えようとしているかを検証する。まず次章では、米中両大国の近年の対外戦略と両国の対立軸を概観する。次に、東南アジア地域に起こっている変化を、中国の台頭に伴う域内諸国の「中国傾斜」として捉え、特に中国が進める広域の経済圏構想「一帯一路」と南シナ海問題に焦点をあてて検討する。最後に、米国における二〇二一年一月の政権交代に伴う同国の外交政策の変化と地域秩序に及ぼす影響について考える。

2　中国の台頭と米中対立の実相

二一世紀に入ってアジア太平洋地域の国際関係に起きた変動の源泉は、何といっても「中国の台頭」の急速な進展である。それに対して米国は、二〇〇九年からのオバマ政権以降徐々に警戒感を強め、外交や安全保障の軸足を中東からアジア太平洋へと「リバランス」（再調整）する方針を打ち出した。

一方、二〇一七年に政権に就いたトランプ大統領は、従来の米国の流儀や方法から大きく逸脱する外交スタイルをとり、中国への対応でもそれまでの同国の穏健な対中「関与政策」を一変させた。トランプ政権が中国に「貿易戦争」を仕掛け、さらには中国共産党の支配体制を批判して敵対視すると、中国もそれらに真っ向から対抗し、米中対立のボルテージは急速に高まっていった。まさにオーダー・トランジションをめぐる米中両大国の対立が具現化し始めたのである。本節では、このような中国の台頭と米中対立についてその実相を見定めておきたい。

中国においては、四半世紀にわたる持続的な経済成長によって蓄積された経済力およびそれを基に増強された軍事力がアジアで突出し、国際社会での影響力を格段に増した。そのうえ、二〇一三年に発足した習近平政権は、「中華民族の復興」を旗印に大国意識を一気に顕在化させた。かつて鄧小平が掲げ、前政権まで踏襲されてきた「韜光養晦（とうこうようかい）」（自らの力を隠し、内に力を蓄える）から脱して積極的に覇権を求めると同時に、米欧主導で形成されてきた既存の国際秩序に挑戦する姿勢を示すようになった。その中で習政権が長期的外交戦略の中核に据えたのが、第一に、ユーラシア大陸を跨いでヨーロッパに至る広域経済圏の構築を目指す「一帯一路」構想であり、第二に、急速に増強された軍事力を背景にした南シナ海から太平洋西域、インド洋にまで広がる海洋の支配である。いずれも従来の同国の勢力範囲を大幅に超えた世界的規模の戦略であった。これら二つの外交戦略については、東南アジア地域へのインパクトを含めて次節で詳述する。

中国の経済力については、すでに二〇二〇年の国内総生産（ＧＤＰ）が世界全体の一七・八％に達し、対米比でも約七割にまで迫っており、二〇二八年には米国を抜いて世界第一位のＧＤＰ大国になるとの予測もある。[5] さらに、二〇一五年に発表された長期産業政策「中国製造2025」では、二〇二五年までの「世界の製造強国入り」を目標に重要産業分野の強化を目指している。具体的な対象には、次世代IT（5G）、AI（人工知能）、EV（電気自動車）、宇宙開発、原子力、新素材などの先端技術分野が含まれており、[6] 生産物の量に留まらず質についてもこれら分野を主導する地位を狙う構えといえる。

国際経済の面では、世界各国の対中貿易の急拡大、中国国内市場を狙った外資の大量流入など歴史的ともいえる変化が進み、中国の国際経済への影響力や世界各国の中国への経済依存が急速に高まった。二〇一九年度の世界の輸出総額に占める主要国の比率では、中国の割合が一三・五%と、米国八・九%、ドイツ八・〇%、日本三・八%を引き離して突出している。[7] 輸入額は米国に次ぐ第二位だが、輸出入合わせた貿易額は世界トップであり、中国を最大の貿易相手国とする国・地域は、日米豪やEU諸国などの先進国、BRICS諸国、ASEANや他の多くのアジア・アフリカの途上国など極めて広範に及ぶ。また、世界の多国籍企業の多くが中国の国内市場に大きく依存しており、また中国を拠点とするサプライチェーン（供給網）への依存度も高い。多国籍企業による二〇二〇年の中国への新規投資額は一六三〇億ドルと国別で世界最多であった。[8]

軍事力についても、国防予算でみると二〇一〇年度から一〇年間で約二・四倍、この間の年平均伸び率が約八%と急速に拡大してきた。[9] 特に海空軍の近代化に注力しており、戦力の量的・質的向上は目覚ましい。兵員数では世界最大の中国軍（中国人民解放軍）であるが、長い間、陸上戦力が中心で海上・航空戦力の整備は立ち後れていた。しかし、近年では装備の拡充が進み、海上・航空戦力を用いた活動も急速に活発化している。世界展開する米軍とは異なり、現在でも中国海軍の活動領域は中国周辺海域が中心だが、徐々にインド洋から中東、アフリカ海域へと広域化が進む。また、平時の海上での法執行機関である海警（日本の海上保安庁にあたる）は世界最大の所属艦船数を誇る。さらに艦船の大型化と武装の強化、および海軍との一体化を進めており、領有権問題が絡む南シナ海と東シナ海での日常的な実力行使の能力も急速に高まっている。[10]

これら経済力と軍事力の増強は相互に関連しており、製造業やＩＴ産業で培った高度技術が、米ロ両国や西欧諸国に遅れをとってきた兵器の性能向上や新規開発に寄与している。また、習政権が推進する「一帯一路」は、「シルクロード経済ベルト」（一帯）構想と「二一世紀海上シルクロード」（一路）構想が合体されたもので、後者は中国海軍の近年の外洋進出ルートや寄港施設を含めた活動海域と重なる。

一方、覇権国としての米国にも、この期間に従来とタイプの異なる政権が登場した。二〇一七年一月に就任したトランプ大統領は、「アメリカ第一主義」を公然と掲げ、国内支持層の利益を最優先する実利主義的な対外政策を次々と打ち出した。一方、自由民主主義、人権、開かれた市場経済といったリベラルな諸価値や、それらを実現するための国際協調主義や多国間の制度・枠組みを軽視する面が目立ち、従来の政策との連続性や国際通念・タブーを顧みない政策も多々みられた。その中で、対中政策にも大きな転換がなされた。

一九七〇年代初期の米中和解からオバマ政権までの対中政策の基本は、中国の市場経済化、法治や民主制の導入などの政治改革、国際社会での役割拡大などを期待して支援する「関与政策」を主軸としていた。二一世紀以降の中国の台頭に対しても、政治・安全保障面の対立を顕在化させずに経済面での良好な相互依存関係を維持する姿勢で忍耐強く協力関係を醸成することに努めてきた。一方トランプ政権は、中国がそのような期待に反してパワーに任せた強権的な手法で国際秩序の現状変更を試みる姿勢を強め、経済、軍事、科学技術の面で米国の地位を脅かすに至ったとして、従来の関与政策を失敗と位置付けた。[11]その上で、中国を地政学上最大の脅威とみなし、その弱体化を図る対抗措置を講じていったのである。

トランプ政権は、まず中国の大幅な対米貿易黒字と不公正な貿易慣行の改善を中国政府に迫った。当初の交渉（ディール）が行き詰まると中国からの輸入品に幅広く高関税をかける政策に転じ、対抗措置に出る中国との間で互いに高関税を掛け合う報復合戦に突入した。また、次世代ＩＴ技術（５Ｇ）で先行する中国企業ファーウェイ（ＨＵＡＷＥＩ）を、安全保障を理由に国内市場から締め出すとともに、世界各国に向けて５Ｇ導入にあたり中国製機器を採用しないよう求めた。

安全保障面では、中国の海軍力や核ミサイル戦力の増強に警戒感を強めた。米国防省による二〇二〇年度の議会向け報告書は、中国軍が海軍艦艇の数、地上発射型の弾道・巡航ミサイル、統合防空システムなどですでに米軍を凌駕しており、近代化を進める中国軍は米国や同盟国にとって重大な脅威となったとの危機感を表した。[12]

こうして両国関係は「貿易戦争」、「新冷戦」といった言葉が飛び交うまでに悪化し、二〇二〇年初旬からの新型コロナウイルスによるパンデミック下でその関係はさらに険悪化した。トランプ大統領はこのウイルスを「チャイナ・ウイルス」と呼び、中国の初動体制の悪さや隠蔽体質がコロナ禍を世界に拡散させた原因だとしてその責任を中国が負うよう訴え、また再選をかけた大統領選挙前には、中国が人権や国際規範に反する行為を続けるのは中国共産党の独裁体制が原因であると共産党を名指しで批判するようになった。一方、中国はこのような主張に激しく反発し、中国製ワクチンを米欧に先駆けて途上国に大量に提供するワクチン外交などで対抗した。まさにオーダー・トランジションをめぐる体制間競争の様相が鮮明になった。

最後に、米中両国の近年の対東南アジア政策を概観しておこう。米国はオバマ政権のリバランス政策の下、東南アジア諸国との関係強化を進め、ＡＳＥＡＮの役割を高く評価するようになった。就任初年度の二〇〇九年にＡＳＥＡＮの基本条約である東南アジア友好協力条約（ＴＡＣ）に加入し、二〇一一年からはＡＳＥＡＮが主要メンバーである東アジア首脳会議（ＥＡＳ）と米ＡＳＥＡＮ首脳会議に参加している。中国に規模では抜かれたものの東南アジアとの経済関係は依然活発で、安全保障面でも同盟国のフィリピン、非ＮＡＴＯ主要同盟国のタイをはじめ、シンガポール、マレーシア、インドネシアとも密接な関係を維持してきた。しかし、後述のように、トランプ政権に代わると東南アジアとの関係は一気に弱体化に向かう。

他方、中国は、冷戦期には長らくＡＳＥＡＮ原加盟諸国やベトナムと対立していた。域内すべての国と国交が正常化し、中国がＡＳＥＡＮの正式な対話国となったのは一九九六年になってからである。その後は徐々に関係を深め、二一世紀に入ると中国からＡＳＥＡＮへの積極的なアプローチが始まって多国間対話の機会が増えていった。二〇〇三年には日米豪など他の対話国に先んじてＴＡＣに署名し、また二〇一〇年発効の中国ＡＳＥＡＮ自由貿易協定（ＦＴＡ）は「ＡＳＥＡＮ＋１」方式の多国間FTAのさきがけとなった。この時期の中国のASEAN外交は、ASEANの国際的地位上昇に貢献した面もあった。[13] 習近平政権は、このような実績の上にさらに積極的に東南アジア諸国への接近と関与を図っていった。

3　東南アジア諸国の中国傾斜と対米関係

中国の台頭と米中両国の覇権争いは国際社会全体を広く巻き込んだが、とりわけ東南アジア地域へのインパクトは大きい。同地域で起こっている変化の一つは、中国への経済依存の高まりであり、もう一つは、政治・安全保障面を含む多方面での中国傾斜の傾向である。本節では、二〇一〇年代の東南アジアと中国の関係を特徴付ける代表的なイシューとして、習近平政権がいずれも核心的利益と位置付ける「一帯一路」構想と南シナ海の領有権問題に着目し、米国との関係も踏まえて検討する。

（1）経済面での中国傾斜――「一帯一路」構想

対中経済依存の拡大と「一帯一路」

東南アジア各国にとって貿易・投資の相手国としての中国の地位は二〇一〇年代に急上昇した。中国の高度経済成長、中国・東南アジア間での自由貿易の進展、両地域に跨がるサプライチェーンの発展などがこの変化を後押ししてきた。

ＡＳＥＡＮ一〇ヵ国の貿易額を見ると、二〇一九年までの一〇年間で中国のシェアが約二倍に増えて全体の約二割に達し、それぞれ一割に満たない後続の日米両国を大きく引き離すに至った。貿易相手国の順位をみると、二〇〇四年にはＡＳＥＡＮ加盟一〇ヵ国のうち米国が貿易相手国の第一位であった国が三国、同じく日本が三国、ＡＳＥＡＮ加盟国が三国、中国は一国のみであったのに対し、一五年後の二〇一九年には中国が第一位の国が八国、日本が一国（ブルネイ）、タイが一国（ラオス）、アメリカはゼロであった。[14]この間に東南アジア地域の対中貿易依存度が急速に上がり、域内諸国にとって米中間の位置付けが逆転したことがわかる。

この間のＡＳＥＡＮ地域への海外直接投資（ＦＤＩ）も、総額では米欧より劣るが伸び率では中国が最も高く、二〇一六年には日本からの投資額を抜いた。さらに、ＯＤＡ供与国としての中国の地位も高まり、カンボジアとラオスでは二〇一〇年代以降、中国が援助国のトップに立っている。[15]

このような東南アジア諸国の対中経済依存の高まりは、習政権下で始まる「一帯一路」構想によって拍車がかかった。「一帯一路」は、インフラ建設を中心とする大型開発協力の構想として二〇一三年に提唱された。先述の通り、アジアとヨーロッパを繋ぐ広大な地域を陸路と海路で結び、各ルートに沿って交通（鉄道、道路、港湾など）、通信、エネルギー供給などのインフラを建設し、それらを連結して沿線地域の貿易と投資を促進する計画で、それを資金、技術などの面で中国が大々的に支援するというものである。さらに、新たな開放型プラットフォームに基づく貿易・投資ルールの統一や新市場の融合、次世代ＩＣＴ技術の共有（デジタルシルクロード構想）など、国際経済の新ルールや新規格の導入も想定されている。

この構想の性格については以下のような点が指摘できる。マクロ的には、従来は米欧日などのＯＥＣＤ加盟国や世界銀行、国際通貨基金（ＩＭＦ）などが担ってきた開発支援の国際公共財とは別に、中国独自の基準で運用される中国型の国際公共財を世界に普及させようとする世界戦略の一環と映る。トランプ政権が、対中貿易戦争や中国包囲網の形成といった強硬策に転じた後は、中国の友好国（「親中」国）の開拓・拡大の手段として活用されている面もある。また、「一帯一路」は、国際協定や定款などで規定された統一的な制度や組織的な統合を想定したものではなく、あくまで中国の構想に賛同した国や企業が、個々に中国と協定（「協力覚書」）を結び、二ヵ国間で進めるプロジェクトの総体、いわば「束」である。この点からも、国力で他の参加国に勝る中国の影響力が強く及ぶ仕組みとなっていることがわかるであろう。[16]

ミクロ的にみると、中国政府が主張する互恵・ウィンウィン・内政不干渉といった協調路線に基づく経済協力・支援の装いをまといながらも、実際には中国の潤沢な外貨資金（チャイナマネー）と国内で余剰となった労働力や資財を海外に送り出し、貿易・投資の拡大、中国企業の海外進出、エネルギー資源の安定的調達などを促進する中国の実利的な狙いがうかがえる。また一部では、後述のように、安全保障上の拠点確保との関連も見え隠れする。

このような特徴を持った「一帯一路」だが、中国政府はこの構想を世界に広く提唱し、新興国や途上国を中心に参加を促した。日米はじめ先進国には上記のような観点から「一帯一路」を覇権主義的として警戒する見方もあるが、一方、新興国や途上国からは当初より高い関心と参加意欲が寄せられた。東南アジア諸国もこぞって好意的な受け止め方をし、中国との経済協力の進展を望んだ。例えば、二〇一七年五月に北京で開催され、最初の全体集会となった第一回「一帯一路」国際協力サミットフォーラムへの参加国の顔ぶれをみると、政府代表を送った一三〇ヵ国中（二九ヵ国からは首脳）、東南アジアからは一一ヵ国中八ヵ国が参加（非参加はシンガポール、ブルネイ、東ティモール）し、すべて首脳が出席した。また「一帯一路」の一翼を担い開発資金を提供する目的で二〇一五年に発足したアジアインフラ投資銀行（ＡＩＩＢ）には、ＡＳＥＡＮ一〇ヵ国すべてが加盟した。

東南アジア諸国の反応と「一帯一路」の展開

中国からも東南アジア地域は隣接する重要地域として位置付けられており、二〇一五年以降、各国で「一帯一路」プロジェクトが次々と立ち上げられた。例えば、海外経済貿易合作区と呼ばれる中国政府公認の海外工業団地は「一帯一路」の拠点となっており、中国企業の集積や現地企業との合弁等での参入が進んでいるが、世界各地に二〇ヵ所設置されている中で東南アジアに七ヵ所（インドネシア三ヵ所、タイ、カンボジア、ベトナム、ラオス各一ヵ所）が設置され地域別で最も多い。[17]

次に、「一帯一路」への各参加国と中国との間の緊密度（中国傾斜の度合い）をできるだけ客観的な数値を使ってみてみたい。この点については、佐野淳也の論文が興味深い研究結果を提示している。[18] この論文では、中国との間で「一帯一路」の協力覚書を結んだ一三八ヵ国を対象に、経済的指標と非経済的指標を七項目ずつ設定し、一定の基準の下に数値化して「親中」度の順位を付けている。表1は、同論文の調査結果の中の、①経済的指数と②非経済的指数の各上位一五位までの国と一五位に入らない残りの東南アジア諸国を加えたランキング、および①、②の平均値に基づく総合ランキン

表1「一帯一路」協力覚書署名国の対中関係（上位15ヵ国と他の東南アジア諸国）

① 経済的指標			② 非経済的指標			総合（①②の平均値）		
順位	国名	スコア	順位	国名	スコア	順位	国名	スコア
1	カンボジア	76.6	1	ラオス	89.8	1	カンボジア	80.4
2	シンガポール	61.0	2	ロシア	89.1	2	ラオス	74.7
3	ラオス	59.7	3	パキスタン	88.7	3	ミャンマー	67.9
4	モンゴル	59.5	4	ミャンマー	86.1	4	パキスタン	67.6
5	マレーシア	58.4	5	カンボジア	84.2	5	モンゴル	67.2
6	ジブチ	56.2	6	カザフスタン	82.0	6	マレーシア	66.3
7	ギニア	55.6	7	モンゴル	74.9	7	カザフスタン	63.9
8	東ティモール	55.5	8	マレーシア	74.3	8	シンガポール	61.9
9	モザンビーク	54.4	9	インドネシア	73.0	9	キルギス	61.7
10	モルディブ	54.1	10	タイ	73.0	10	ベトナム	60.3
11	パプアニューギニア	54.0	11	キルギス	71.9	11	ロシア	58.9
12	ザンビア	53.9	12	ベラルーシ	70.8	12	ベラルーシ	58.6
13	ベトナム	53.5	13	ウズベキスタン	68.1	13	インドネシア	57.9
14	サモア	52.7	14	ベトナム	67.2	14	タイ	57.8
15	キルギス	51.6	15	エチオピア	65.9	15	ウズベキスタン	56.0
17	ミャンマー	49.7	22	シンガポール	62.8	44	フィリピン	42.2
32	インドネシア	42.7	32	フィリピン	52.3	45	東ティモール	41.9
33	タイ	42.6	48	ブルネイ	42.2	47	ブルネイ	41.4
39	ブルネイ	40.6	77	東ティモール	28.4			
73	フィリピン	32.0						

（注）原資料の項目名「経済スコア」、「政治スコア」をそれぞれ「経済的指標」、「非経済的指標」に変えて表記。表内の網掛け部分は東南アジア諸国。

（出典）佐野淳也（2021）「数値からみた中国の一帯一路構想の実像 ―「親中」国を増やすために推進」『環太平洋ビジネス情報 RIM』Vol.21, No.80, 2021年　<https://www.jri.co.jp/page.jsp?id=38255>

グである。表2は各指標の内訳と各項目の点数化方法の概要となっている。各項目とも数値化可能な範囲で「親中」度を表す現実的な内容といえる。

表1をみると、まず各ランキングの上位に東南アジア諸国（網掛け）が数多く入っており、総合ランキングでは上位一五ヵ国中八ヵ国を占めている。これからも東南アジア地域が「一帯一路」の中核的地域となっていることがわかる。国別に東南アジア諸国の順位をみると、カンボジアとラオスが経済的指標と非経済的指標でそれぞれに最上位に

表2「表1」のスコア算出方法

① 経済的指標	配点	算出方法（抜粋・要約）
中国からの直接投資額	20	2013 ～ 19 年の直接投資残高の増加分の対 GDP 比の順位を点数化
対中貿易依存度	20	2013 年と 2019 年の対中貿易額の対 GDP 比の順位を点数化
請負工事契約額	20	2014 年～ 18 年の中国企業による新規契約額の対 GDP 比の順位を点数化
FTA 締結の有無	10	中国との二国間、多国間の FTA の締結数を点数化
通貨スワップの有無	10	スワップ協定が期限前で有効な国は 10 点
第三国市場協力覚書の有無	10	中国と第三国市場協力の覚書を締結した国には 10 点
デジタルシルクロード関連覚書の有無	10	中国と覚書（情報通信の技術協力も含む）を締結した国には 10 点
	計 100	
② 非経済的指標	配点	算出方法（要約）
一帯一路関連国際会議への出席頻	20	一帯一路サミット（2017 年／ 19 年）、外相級会議（2020 年）の出席状況
中国首脳の相手国訪問回数	20	2014 ～ 20 年の中国首脳 8 人の訪問回数を役職ごとに加重して点数化
二国間関係の呼称	20	「運命共同体」（20 点）、「パートナーシップ」（回数により配点）
国連での中国支持の有無	10	香港、ウイグル問題をめぐる国連討議での中国への支持／批難を点数化
大使館・領事館数	10	大使館および領事館の数を点数化
孔子学院の設置数	10	孔子学院および孔子課堂（大学設置の中国語教育機関）の数を点数化
留学生数	10	人口 1 万人当たりの中国への留学生数の順位を点数化
	計 100	

(注) 本表の「算出方法」については下記出所にある表の「算出方法」欄の内容の抜粋・要約。

(出典) 表 1 と同様。

入っており総合で一、二位を占める。このことからも両国の対中親密度の高さが裏付けられる。その次にマレーシア、ベトナム、ミャンマーが平均して高く、逆にブルネイ、フィリピンが低い。また、シンガポールと東ティモールは経済面では対中依存度が高いが非経済指標では低く、その逆がタイとインドネシアとなっている。

次に角度を変えて、東南アジア地域における「一帯一路」プロジェクトの特徴をみてみよう。同地域での重点事業としては、鉄道・道路・港湾・工業団地などの建設、エネルギー資源の開発と運搬、不動産開発などが挙げられる。具体的に案件の中身をみるために、実例として、二〇一〇年代に「一帯一路」関連のプロジェクトの契約を数多く結んだマレーシアの例を一部紹介する。同国は、FDIでみると二〇〇八年の段階で中国からの投資額は全体の〇・八%に過ぎなかったが、「一帯一路」の協力覚書締結後、二〇一六年には一四・四%へと急増し、同年に日本からの投資額を追い越した。この年の外資導入のかなり多くの部分を「一帯一路」のプロジェクトが占めていたと考えられる。[19]

表3で示した案件は、全部で約三〇件ある案件の中から分野ごとに一件ずつ抜粋したものだが、その中でも共通する傾向がある。南シナ海とマラッカ海峡の沿岸に位置する港湾や工業団地の建設・拡充、首都クアラルンプールの再開発やそこでのIT産業の拠点づくり、それらを結ぶ鉄道網やハブの建設などが多い。これらのプロジェクトは、この地域での中国の戦略的ニーズ――東南アジア諸国との貿易量の増加や中東・アフリカとのエネルギー資源取引の拡大に伴う海上輸送量の急拡大に対応する輸送インフラの拡充やルートの多様化、欧米から規制を受けるようになった中国企業の海外移転先の確保など――を反映している。[20]また、投資方法としては、中国の国有銀行からの融資、中国企

表3 マレーシアにおける主要な「一帯一路」プロジェクト

分野	プロジェクト	中国の参加企業と参加形態
鉄道	東海岸鉄道（ECRL）建設：マレー半島を横断し、東西海岸側を結ぶ総延長600kmの鉄道（総工費650億RM→440億RMに減額）	中国輸出入銀行（国有）が85%融資、中国交通建設集団（国有）が建設請負
港湾	マラッカ・ゲートウェイ開発：マラッカ沖の３つの人工島に港湾施設、工業団地を建設する総合開発（430億RM）	中国電信集団(国有)、深圳港(広東省)、日照港（山東省）とマレーシア企業の提携
橋梁	ペナン第二大橋（東南アジア最長：24km）：中国政府が融資（総工費45億RMのうち26億RM）	中国港湾行程（国有）がマレーシア企業（UEM）と提携
埋立	ペナンの湾岸の埋め立て（23億RM）	中国交通建設集団（国有）
工業団地	マレーシア・中国クアンタン工業団地建設	広西北部湾銀行（国有）など（49%）とマレーシア企業（51%）の合弁
パイプライン	石油パイプライン建設：マラッカ・ケダ間600km（53.5億RM）	中国石油天然気管道局（国有）、中国輸出入銀行（国有）が融資（85%）
不動産開発	バンダル・マレーシア開発：首都南部の空軍基地跡の再開発。高速鉄道駅、大量高速鉄道のハブ、IT拠点、オフィスビル、住宅などの総合開発（総額1,400億RM）	中国中鉄とマレーシア企業の連合（60%）とマレーシア政府（40%）が出資
製造業	マレーシア・中国クアンタン工業団地に高炭素鋼棒、線材、H形鋼など能力350万トンの鋼材工場建設	広西チワン族自治区企業（国有）、広西盛隆冶金（中国民間）
情報通信(IT)	デジタル自由貿易特区(クアラルンプール）を設立	アリババ（阿里巴巴集団：中国民間）

(注) RM：リンギット、国有：中国の国有企業、中国民間：中国の民間企業

(出典) 小野沢純 (2017)「マレーシアにおける『一帯一路』戦略」『国際貿易と投資』No.110、2017年12月を基に『日本経済新聞』、『アジア動向年報』(各年版)、『NNA Asia アジア経済ニュース』(オンライン)、『ロイター（オンラインニュース)』、*BBC News* (online)、*The Star online* などを参照のうえ一部内容を加筆。

業（国有、民間）と現地企業との合弁・提携、中国の民間企業によるFDIなど多様な形態をとっている。インフラ事業については、中国の土木建設企業（国有）が建設請負の形で参加する場合が多い。

このように、「一帯一路」という新たな開発支援の枠組みを使ってインフラ整備や大規模開発がより迅速に進むことは、途上国の経済発展にとってプラスといえる。反面、中国型のこのシステムには様々な落とし穴もある。最大の問題は、融資の基準や審査の甘さにより借入国の返済能力を越える多額の資金が貸与されるケースが見受けられる点である。中国は、OECD加盟の先進国や国際援助機関とは異なり、内政不干渉原則に基づいて受入国の政治体制は問わず、民主化や人権擁護の度合いにもこだわらないため、先進国の基準では援助対象から除外されたり、民主化・人権面で厳しい条件を課される可能性の高い途上国にとって中国の資金は借りやすい。この結果、借入国が債務過多に陥る、または返済不能となったインフラの所有権や運営権が事前の契約に従って中国側に渡るというケースが出ている。さらに、先進国からのODAに比べて返済金利が高いこともリスク要因となっている。

スリランカのハンバントタ港の開発案件はこれに該当するケースとして知られているが、港湾開発の債務が返済不能となってその港湾施設の運営権が中国側に渡り、その地区が実質的に治外法権の状態に置かれており、さらに中国が軍事利用する可能性があるともいわれる。[21] このような状況は「債務の罠」と呼ばれ、世界的に警戒されるようになったが、東南アジアでも高リスクの資金が中国から大量に投入されているケースは少なくない。

この分野の調査実績で定評のあるグローバル開発センター（CGD）の二〇一八年の報告書は、「一帯一路」の対象国の中で債務返済リスクが著しく高い八カ国を挙げているが、その中に東南アジアではラオスが含まれている。ラオスはGDPに占める公的債務の比率が六〇％の危険ラインを越えて今後七五％程度まで悪化し、対外債務全体に占める対中債務の比率も「一帯一路」案件の増加に伴って五〇％から七〇％に上昇すると予想されている。[22]また、カンボジアにおいても、中国によるシアヌークビル開発の対象地区に近い海軍基地の一部を、中国海軍が長期利用する合意が政府間で結ばれたとの報道もある。[23]

ここまで、「一帯一路」構想の特徴と東南アジア地域への影響を中心に述べてきた。東南アジア諸国の対中経済依存は貿易、投資、援助のいずれにおいても急速に進み、各国の中国傾斜がこれまでになく急テンポで進んできたことがわかろう。貿易は両地域の経済発展の結果としての自然発生的な対中傾斜の色彩が強く、互恵的な側面を持つとしても、「一帯一路」による中国の投資拡大は同国の戦略や国益が反映しやすく、長期的には中国優位の非対称型となり、東南アジア諸国にとって対中従属的な状況となる余地を含んでいる。

トランプ政権の対応とその反応

トランプ政権下の米国は、「一帯一路」に匹敵もしくは対抗する本格的な経済戦略を持たなかった。オバマ政権期には、アジア太平洋地域に高度な自由貿易の制度や基準を持つ経済圏の構築を目指して環太平洋経済連携協定（ＴＰＰ）の締結交渉をまとめ、その基準に達しない中国を除外する「中国外し」の枠組みとしても使った。これは従来の米国の政策とも整合する経済戦略であったが、トランプ大統領は国内支持層に向けた産業保護の観点から、二〇一七年の就任後まっさきにＴＰＰから離脱してその戦略を放棄したのである。それればかりか貿易赤字削減策として対中高関税政策をとり、さらに対米貿易黒字の多いベトナムなど東南アジア諸国にも制裁をちらつかせて圧力をかけた。

また、トランプ政権は、先述のとおり、先端技術の覇権争いを視野に入れ、ファーウェイなど中国の有力ＩＴ企業の製品や技術を排除するよう世界各国に促した。一部の同盟国やＥＵ諸国にはこれに同調する動きが見られたが、東南アジアでこれに同調する国はなく、むしろ域内の大半の国が製品導入や研究・人材育成の面でファーウェイとの協力を強めた。カンボジアでは、二〇一九年に政府がファーウェイと５Ｇ導入に関する覚書を交わし、域内で最初に５Ｇによる商用サービスを開始したほか、[24]親中化を強めるフィリピンも、同社の技術による５Ｇの商用化を始めた。中国の友好国が多いアフリカ同様、東南アジア地域では概してファーウェイをはじめ中国の技術や製品の安全性に対する不安は少なく、むしろ中国製品は技術水準やコスト面で高い評価を得ており、その地位は堅固といえる。

米国もトランプ政権の後半からは「一帯一路」に対抗する形でアジア・アフリカ向けのインフラ整備支援を拡充したが、先行する中国との差は大きい。中国の経済支援が内政不干渉原則もあって途上国のニーズに幅広く対応可能なのに対して、米国のＯＤＡは政治体制や人権・民主化などの選考基準が厳しく、適用範囲は自ずと狭まる。

むしろ、トランプ政権の保護主義的な通商政策がアジア諸国の危機感を高め、ＡＳＥＡＮ一ヵ国と中国および日本、韓国、オーストラリア、ニュージーランドが加盟する「地域的な包括的経済連携協定」（ＲＣＥＰ）の締結を促した面がある。ＲＣＥＰはアジア太平洋地域の自由貿易は促進するが、現在の中国優位の貿易体制や地域サプライチェーンが固定化され、長期的に中国の通商上のメリットが最も大きいとの評価もある。[25] 米国と東南アジア地域との経済関係が相対的に低下する中で、トランプ政権の対応がさらに域内諸国の失望感や不信感を呼び、同諸国をいっそう中国に傾斜させることになったのである。

（2）安全保障面でのジレンマとＡＳＥＡＮ分断――南シナ海問題

中国による支配強化と軍事拠点化

習政権下の中国が、「一帯一路」を軸とする経済戦略より以上に独断的かつ強圧的に推し進め、諸外国にその力を見せつけたのは主権や安全保障にかかわる分野であった。とりわけゼロサム的要素の強い領土・領海や資源の確保などに関しては、強大化した軍事力や経済的影響力を背景に、中国が強引ともいえる政策や行動に出る事態が頻発した。一方、圧倒的に国力差のある東南アジア諸国にとって、中国によるこのような対外行動は重大な脅威と映った。これらが顕著に表れたのが南シナ海の領有権問題である。

ＡＳＥＡＮは中小途上国が集まった国家連合として、大国との経済や安全保障をめぐる問題の交渉や対応に集団として立ち向かうことを一つの重要な機能としており、その観点から南シナ海問題にも長らく結束して対処してきた。ところが、経済面での中国傾斜が進むにつれ、安全保障や主権に関する問題でも中国に同調または接近する加盟国や政権が現れた。また、中国の政策や言動への批判や対抗姿勢に対する中国からの攻撃的な反論および厳しい経済的・軍事的制裁も、ＡＳＥＡＮ加盟国に中国寄りの外交姿勢をとらせる圧力となっている。このような状況下で、南シナ海問題へのＡＳＥＡＮの取り組みにも変化が現れた。

この問題では、海上交通路の要衝であり、かつ石油・天然ガス資源を埋蔵する南シナ海における島嶼の領有権や海洋権益をめぐり、長らく中国、台湾、ベトナム、フィリピン、マレーシア、ブルネイが争ってきた。近年では、中国が一方的に人工島の造成とそれら上への軍事施設の構築を進め、さらにそれらの軍事拠点化を図っており、周辺の東南アジア諸国にとって大きな脅威となっている。そもそも、中国は二〇〇二年にＡＳＥＡＮ諸国との間で「南シナ海に関する関係国の行動宣言」（ＤＯＣ）に合意し、領有権問題の平和的解決、敵対的行動の自制、軍関係者の相互交流を通した信頼醸成などを約束していた。また、米国に対しても二〇一五年の習国家主席の訪米時に、南シナ海の軍事拠点化を追求する意図はないと言明していた。しかし実際には、それらに反する中国の行為はその後もエスカレートしてきた。

近年の「中国の台頭」の典型例とされるこの問題だが、その起源は古い。同国は、歴史的経緯を根拠に第二次大戦後、南シナ海の大部分を占める海域に境界線（現在の「九段線」）を引き、その内側を一方的に領海と主張してきた。なかでも広い海域で主張がぶつかるベトナム、フィリピン両国とは一九七〇年代から小規模な武力衝突を繰り返してきた。またベトナム戦争後の在越米軍撤退の後に同海域内の西沙諸島で、また冷戦後の在比米軍撤退後には南沙諸島でと、米軍撤退後の空白を突くように次々と島礁を占拠していった。二〇〇〇年代に入ると多数の官民両船舶を送り込んで実効支配を強め、さらに二〇一四年から一五年にかけて南沙の七つの岩礁を大規模に埋め立ててそれぞれに航空機が発着可能な人工島を造成し（埋立面積は合計約一三万キロ平方メートル：東京都豊島区の面積に相当）、それらを自国の領土と主張するようになった。それ以降、埋め立てた三礁に三〇〇〇メートル級の大型滑走路、五礁にヘリポートのほか、各礁に格納庫、レーダー・通信施設、砲台、宿舎、発電施設などの軍事施設を建設し、軍事拠点化を進めてきた。(26)

こういった動きに合わせて、南シナ海での中国の海警および海軍の装備拡充や活動の活発化も進み、二〇一八年からは新造の国産空母が同海域で訓練を始めたほか、中国空軍の大型輸送機・爆撃機・哨戒機が人工島の滑走路で発着訓練を頻繁に実施するようになった。また、法・制度面では一九九二年に九段線内を自国領とする領海法を一方的に制定し、二〇二〇年には海南省三沙市の下に西沙、南沙諸島をそれぞれ西沙区、南沙区として中国の行政区に組み入れた。

一方、米国は、二〇一〇年以降、中国が同海域で係争国の船舶の航行を妨害し、軍事的威嚇を公然と行うようになると、国際法で保障された権利や公海での航行の自由を保護する立場から、ARFなどの場で中国の主張や言動を強く批判するとともに、米海軍による「航行の自由作戦」を実施するようになった。この作戦は中国が領有を主張する南シナ海の各礁の一二海里内（海洋法が定めた領海）を駆逐艦で航行する活動を指す。二〇一二年以降、オバマ政権期に六回、トランプ政権期に二〇数回実施された。また、日本とともに中国との係争国への防衛装備の支援も強化した。

米中間で揺れる東南アジア

このような中で東南アジア諸国は、中国と領有権を争うベトナム、フィリピン、マレーシア、さらに排他的経済水域が九段線内で重なるブルネイの四ヵ国はもとより、それ以外の非当事国も含めて、中国の独断的な領有権主張や占拠・埋立行為に抗議する統一行動を長年とってきた。越比両国は中国との間で死傷者が出る衝突や小競り合いを経験するたびに強く抗議し、またＡＳＥＡＮも関連会議において繰り返し中国の言動を批判または自制を求める声明や決議を行ってきた。それらに加え、紛争予防のルールとして法的拘束力を持つ行動規範（ＣＯＣ）を共に策定するよう中国に求める共同行動も続けてきた。

なかでも画期的だったのは、アキノ政権期の二〇一三年にフィリピン政府が、南シナ海問題での中国の主張や行動は国連海洋法条約に違反するとして同法の下に設置される常設仲裁裁判所に提訴し、二〇一六年に同裁判所がその提訴内容をほぼ全面的に支持する裁定を下したことである。この裁定では、中国の九段線内の領有権主張を根拠がないものと否定し、人工島の建設や他国船舶への航行妨害も海洋法に違反する行為とする裁断を下した。[27]

この裁定はＡＳＥＡＮ諸国が一貫して求めていた国際法に基づく初の公式な判断であり、ＡＳＥＡＮや米国にとって中国の行動を改めさせる強力なテコになるとみられた。しかし、中国は、政府広報官が公然とこの裁定を「紙クズ」同然と切り捨て、政府幹部や国営メディアも同国がこれに従うつもりはない旨を表明したのである。国際法を無視する中国の態度に、法治に基づく国際秩序を標榜する米欧日などはこぞって批判を浴びせた。

一方、このような判決を求めていたはずのＡＳＥＡＮは加盟国間で対応が割れた。意外にも、提訴国として対中批判の先頭に立っていたフィリピンが一八〇度方針を転換した。フィリピンでは、この裁定が出る直前の大統領選挙で勝利したドゥテルテ新大統領が、援助や投資など中国からの経済支援と引き換えに仲裁裁判所の裁定をいっさい棚上げにするとし、前政権まで冷え込んでいた対中関係の活性化を選んだのである。ドゥテルテ政権は、親米・反中であった従来の政権とは打って変わって親中的な政策に軸を移し、逆に当時のオバマ米政権とはこの問題以外でも人権問題で対立して米比関係は冷え込んだ。

中国と対立するもう一つの国ベトナムは対中批判を緩めていないが、フィリピンの方向転換に示されるように、もはやＡＳＥＡＮはかつてのように結束して中国への対抗的な統一行動を取ることが難くなっている。この点でさらに鍵となるのが、経済面で対中依存を強めてきたカンボジアである。この点を象徴する出来事が二〇一二年七月のＡＳＥＡＮ外相会議で起きた。比越両国が南シナ海問題での中国の高圧的な姿勢を非難する声明をＡＳＥＡＮとして出すよう求めたのに対して、その年の議長国であったカンボジアがＡＳＥＡＮは二国間の紛争を裁定する場ではないと拒否したのである。この結果、結成四五年目にして初めて外相会議の共同声明が出せないというＡＳＥＡＮにとって歴史的汚点ともいえる事態に陥った。この会議前に中国からカンボジアへの事前の根回しがあったともいわれ、中国にとってはＡＳＥＡＮの切り崩し戦術の成果ともいえる。(28)

同種のケースが二〇一六年六月に中国雲南省で行われた中国ＡＳＥＡＮ特別外相会議でも起こった。南シナ海での中国の言動に「深刻な懸念」を表明し、関係各国に同地域の非軍事化や海洋法条約に沿った航行の自由の保障などを呼びかけた共同声明が、会議終了後に中国の要請を受けたとされるラオスによる反対で撤回されたのである。(29)ＡＳＥＡＮ諸会議でしばしば中国の代弁者のように振る舞うカンボジアやラオス以外にも、前述のドゥテルテ政権下のフィリピン、係争国ながらナジブ首相時代（二〇〇九〜二〇一八年）に経済面での対中依存を急テンポで強めたマレーシアも、同問題での中国批判を弱める傾向をみせた。

マレーシアとフィリピンはベトナムとともに、中国が南シナ海に本格的に乗り出す前の一九七〇年代から同海域における領有権を主張して実効支配の既成事実化を図り、限定的ながら自国領と主張する島礁の埋め立てや海洋資源の調査を行っていた。マレーシアの場合、一九八〇年代後半から南沙諸島の島礁を占拠して軍を常駐させ、一九九〇年代にはその中のスワロー礁を人工島に造成してヘリポートや小型プロペラ機が離発着できる一三〇〇メートル級の滑走路を建設した。そこに砲台やレーダーなどの軍事施設とともにリゾートホテルを併設し、海軍基地とビーチリゾートをセットで開発していった。[30] 既得権を持つ沿岸の係争国は、多国間交渉の場で中国の強引な進出を抑えようとすると同時に、自国の既得権益に関しては当事者間（つまり対中国）の二国間交渉で権益の配分調整を行いたいとの思惑もあり、その間で揺れ動くことになる。ナジブ政権期とドゥテルテ政権期には、両国とも後者に振れる傾向が強く現れた。

ただし、両国ともに対米安全保障協力の歴史は長い。米国の旧植民地であるフィリピンは独立後も政治・経済面を含めて緊密な関係を維持し、安全保障面では一九五一年の米比相互防衛条約締結以来、同盟国の立場を維持してきた。冷戦期には米海軍・空軍の大型基地を受け入れ、また冷戦後も米国による中東での戦争に派兵してきたほか、二〇〇〇年代の「テロとの戦い」では国内で大規模な米比共同作戦を展開した。軍部や政治エリートの中には親米派、反ドゥテルテ大統領派も多い。同大統領の

「親中」転換にもかかわらず、表2で「親中」度が低く現れているのにはそういった歴史的経緯が反映している面もあろう。マレーシアは独立後、中立主義を標榜しつつも、現実には旧宗主国イギリスを核とする五カ国防衛取極（FPDA）に参加し、二〇〇〇年代以降は米軍との協力を強化してきた。ただし、ナジブ政権期には、このような英米との関係を維持しながらも、首相自らの大規模スキャンダルで窮地にあった時期に中国から資金援助を受けたことで対中傾斜を強めた経緯がある。

一方、インドネシア、シンガポール、タイは従来から、法の支配の原則に基づいた平和的な問題解決を主張してきた。これら国は経済では中国に依存しながら、他方で米国の軍事プレゼンスによって中国との勢力均衡が維持されることを望んできた。タイは非NATO主要同盟国として対米協力の歴史は古く、シンガポールも冷戦後、米海軍の大型原子力空母が寄港・メンテナンス可能なドックを建設するなど協力関係を深めてきた。インドネシアは、世界最大のイスラム人口を抱えるため中東政策などをめぐって常に一定の反米世論があるが、安全保障面では武器調達、軍事教育訓練などで対米協力の歴史は長い。ただし、ユドヨノ政権期（二〇〇四〜二〇一四年）に中国との関係が急速に深まり、安全保障面でも防衛技術協力、兵器調達、合同演習などを活発化させ、米中両国の均衡をとる姿勢が強まった[31]。後のジョコウィ政権も経済面を中心に対中関係は重視してきたが、中国と同様に海洋大国を目指す方針を掲げるようになり、南シナ海での中国の行動にはより警戒的となった。

このように、二〇一〇年代に中国の南シナ海での実力行使が強まり、また東南アジア諸国の対中経済依存が進む中で、同問題への認識や対応が域内でも分かれ、ASEAN内の足並みの乱れが顕在化かつ拡大してきたのである。

トランプ政権の対応と限界

最後に、南シナ海問題の展開に対するアメリカの対応について触れておく。同国は外交・安全保障政策において、通商上の重要航路および軍事戦略上の要衝として南シナ海を含む東南アジア海域を重視してきた。一方、ＡＳＥＡＮ側も原加盟国はもとより、かつての対戦国ベトナムを含めた後発の加盟諸国をも含め、同海域の安定と自由航行のルールを維持する米軍のプレゼンに期待し、実際にも様々な協力関係を築いてきた。その点で、中国の台頭を意識したオバマ政権のリバランス政策は歓迎された。

しかし、オバマ政権は基本的には関与政策の域を出ることはなく、中国の領有主張を批難し、「航行の自由作戦」は始めたものの、その間にも進む人工島の造成や軍事化を止められなかった。トランプ政権になると、中国への対抗をより強く意識した戦略を模索し始める。その一つとして、日本の安倍首相の提唱に相乗りする形で打ち出された「自由で開かれたインド太平洋」（ＦＯＩＰ）戦略がある。その推進母体として日豪両同盟国に中国のライバル国ともいえるインドを加えた日米豪印協力（Quad：クアッド）の枠組みが形成され、経済と安全保障を広く扱う協議体として歩み始めた。しかし、南シナ海では米海軍の「航行の自由作戦」を越える具体策は打ち出せず、実際には活発化する中国の行動を抑制するには至らなかった。

それればかりか、トランプ政権はＡＳＥＡＮの外交上の地位を大幅に引き下げた。例えば、アメリカを含めた域外主要国とＡＳＥＡＮ諸国の首脳が参加し、南シナ海問題がほぼ毎回議題となる東アジア首脳会議、米ＡＳＥＡＮ首脳会議、ＡＰＥＣ首脳会議への出席状況をみると、トランプ大統領の四年間の任期中に開催された全一二回のうち同大統領が出席したのはわずか三回のみであった（二〇一七年の二つの会議と二〇二〇年のＡＰＥＣへのオンライン参加）。これは、二国間での取引（ディール）を好み多国間協議を避ける同大統領の外交スタイルによる面もあるが、オバマ前大統領が八年間の任期中に開催されたこれら会議の全二二回のうち一九回に出席したのとは極めて対照的である。[32] トランプ大統領のこうした態度はＡＳＥＡＮ側から「ＡＳＥＡＮ軽視」としばしば批判された。二〇一九年の米ＡＳＥＡＮ首脳会議を同大統領が欠席し、代理に大統領補佐官を出席させた際には、ＡＳＥＡＮ側は「報復措置」として出席者を三首脳のみに絞るという反応で不満を表したほどである。

ただし、米政府内でも国務省や軍は南シナ海での中国の出方を強く警戒しており、二〇二〇年七月にポンペオ国務長官は公式声明を出して「南シナ海の大半の地域における中国の海洋権益の主張は完全に違法」と強く批判した。また、二〇一六年の常設仲裁裁判所の裁定を全面的に支持し、「アメリカは東南アジアの同盟国・友好国とともに、国際法上の権利と義務に基づき同諸国の海洋資源に対する主権を守る」[33] と明言し、主権に関する従来の「当事者同士の平和的な解決を促す」との中立的立場の転換を図った。この声明と前後して米海軍は空母二隻を派遣して、同時期に行われていた中国海軍の軍事演習を牽制した。

このように南シナ海問題では、東南アジア諸国の中に、軍事力を背景とした中国の強硬姿勢と既成事実化に対して、同国との正面対立を避けてその支持に回る、もしくは経済的代償を求めて妥協する動きがみられるようになった。一方、有効な対抗策を打ち出せなかった米国も、トランプ政権後半には中国を地政学的な競争相手として明確に位置付けるようになり、主権・領有権問題に対する中立的な立場を覆して中国への対抗姿勢を鮮明にした。このような過程で、東南アジア各国およびASEANは、米中両大国の狭間でのジレンマを深めることになる。

4　バイデン政権下での展開と東南アジアのジレンマ

(1)　深まる「新冷戦」の様相

二〇二〇年一一月の米大統領選挙を経て翌年一月にバイデン新政権が誕生した。トランプ時代に大きく変わった米国の外交政策は、一部は踏襲され、一部はトランプ以前の政策に戻った。踏襲されたのは中国に対する厳しい姿勢であり、復活したのは多国間協議体への参加と国際協調、同盟国との結束、人権・民主主義の重視などであった。これらはいずれも東南アジアに直接かかわるものである。本節では、就任一年目のバイデン政権の外交政策、特に中国と東南アジアに関わる政策の変化に関して以下の三点を中心に、東南アジア諸国や中国の反応を含めて触れておく。

第一に注目するのは、バイデン政権が引き継いだ対中強硬姿勢である。前述のように、トランプ前政権は、一九七〇年代以来続いてきた米国の融和的な対中関与政策を転換した。つまり、中国が経済、軍事、科学技術の分野で強大化した国力を背景に強権的手段で国際秩序の変更を試みるに至り、米国の覇権を脅かす地政学上最大の脅威となったとの認識の下、それに徹底して対抗する方向に舵を切った。さらにトランプ政権末期には、中国の不当な行動は中国共産党の「悪質（malign）」さに起因しており、この体制を変えない限り対立は続くとして冷戦期を彷彿とさせる「体制間対立」の観点を前面に打ち出した（注11の報告書参照）。当初このようなトランプ政権の認識は米国内の一部保守派の強硬論とみられていたが、二〇二〇年初頭から中国を発生源として世界に拡散したコロナ禍に乗じるかのように、中国政府がいっそう強引かつ挑発的な言動で従来の国際秩序に挑戦する姿勢を露わにしたことで同国への不信感が高まり、対中強硬論が超党派で受け入れられるようになった。さらにこの認識は先進国を中心に国際社会でも広がり、欧州諸国などでも広く共有されるに至った。

欧米諸国が中国への不信と反発を強めた要因の一つに、中国政府による所謂「戦狼外交」がある。これは、新型コロナウイルスの発生源に関する隠蔽や責任転嫁ともとれる言動を重ね、中国への批判に対しては攻撃的な反論やレトリックで威圧、さらに経済的、外交的な制裁措置で対抗するといった中国政府幹部や広報官の態度および実際の政治手法に代表される。また中国は、コロナ禍から比較的早期に脱却した後には、他国がコロナ対策に追われる間隙を突くかのように従来の香港や南シナ海での政策を強引な手法で推し進め、それらに対する国際批判や、この時期に表面化した同国内のウイグル族弾圧への批判などにも戦狼外交の矛先を向けた。さらに、コロナ禍からの早期離脱やその後のマスク外交・ワクチン外交を中国の統制型国家主義体制の成果として喧伝し、民主主義体制に対する優位性を主張したのである。

バイデン政権はこのような中国の態度や政治手法に対して、トランプ政権期に強まった対中敵視と種々の対抗策をほぼ継承してのぞんだ。新政権の包括的な外交戦略は、二〇二一年三月の「国家安全保障戦略指針（暫定版）[34]」に集約されている。その中では、国際情勢の基本認識として中国を「経済力、外交力、軍事力、技術力を組み合わせ、安定的で開かれた国際システムに持続的に挑戦することができる唯一の競争相手」と捉え、中国をはじめとする「反民主主義勢力は、偽情報や相手の弱点を利用した武器としての汚職を用いて自由主義諸国の国内や国家間を分裂させ、既存の国際的ルールを破壊することで権威主義体制という代替的モデルを広げようとしている」と糾弾した。その上で、現在の米中対立の状況を「攻撃的で権威主義的な中国を打ち負かす（out-compete）」戦略的競争と位置付けた。バイデン政権は「民主主義対権威主義」という体制間競争の世界観を前政権から引き継ぎ、むしろそれをより鮮明に打ち出したといえよう。

バイデン政権後の変化の第二に、多国間での協議・協力や同盟国・友好国との結束を復活させた点がある。バイデン大統領は、日韓両国やＧ７諸国との首脳会談に積極的に参加し、民主主義諸国の結束と中国への対抗策の強化を共通の目標として行動する必要性を訴えた。日豪印三国と進めるＦＯＩＰおよびその実現母体としてのクアッドの結束強化についても、就任直後に重要戦略として推し進める方針を表明した。また、この時期には、中国との経済関係を重視してそれまで対中批判に慎重であった英独仏などの欧州主要国が、コロナ禍での中国の対外姿勢を好戦的として懸念を深め、米日豪などと共に安全保障面での警戒を強めた。

実際にこれら欧州諸国は、イギリスの空母も含めそれぞれに軍艦を南シナ海に派遣し、米日豪軍などと艦隊を組んで合同演習を実施するなど、中国を牽制する従来にない踏み込んだ行動をみせ始めた。

さらに二〇二一年九月には米英豪が新たな安全保障枠組「ＡＵＫＵＳ」を創設し、オーストラリアへの原子力潜水艦技術の供与を中心とする軍事協力強化の新策を打ち出した。このように、米新政権の登場によって、対中抑止を念頭に置いた欧米民主主義諸国の結束と安全保障協力が具体化したのである。

一方、発展途上諸国への対応と関係修復については、米国は後手に回った。それでも、中国の攻勢に対して巻き返しを図るべく、二〇二一年中期以降、経済、安全保障およびコロナ対策の各分野で途上国支援の強化を進めた。東南アジア諸国との関係改善についても、トランプ前大統領が欠席を続けたＡＳＥＡＮとの定期首脳会議へのバイデン大統領の出席を早々に表明したほか、同年六月以降、シャーマン国務副長官、オースティン国防長官、ハリス副大統領などの政府幹部が次々と東南アジア諸国を訪問した。[35] この中では、安全保障面では中国の海洋進出に対抗する米軍の関与の継続、経済面では同地域とのサプライチェーンの連携強化、存否が懸案となっていたフィリピンとの訪問軍地位協定（ＶＦＡ）の存続などが合意された。[36]

バイデン政権による対中攻勢に対して、中国もさらに対応をギアアップさせた。中国は、すでに二〇二〇年から二一年前半にかけて王毅外相が東南アジア諸国をくまなく訪問し、対面での交流を通して、中国製新型コロナワクチンの無償または優先的提供、経済関係の拡大、インフラ整備支援の強化などを約束していた。実際にワクチン接種開始後、東南アジアはシンガポールを除くすべての国が中国製ワクチンを使っている。二〇二一年八月初旬のＡＳＥＡＮとの一連の会議においても中国は、「域外国の介入は南シナ海の平和と安定を損なう最大の脅威」と米国を中心とする域外国の対中攻勢を繰り返し批難し、他方で同年九月にはＴＰＰへの加盟を正式に申請するなど、米欧日豪などの東南アジア関与にくさびを打ち込む構えを強めた。[37] このように、対中包囲網の強化を進める米国およびその同盟国とそれを激しく批判する中国との間で、「新冷戦」を思わせる対立軸が鮮明化したのである。

第三の変化として、バイデン政権が人権と民主主義を重視する姿勢を強く打ち出してきた点も重要である。これは米民主党の強調点でもあり、これらに無頓着であったトランプ前政権との違いが際立つ面として、東南アジアと中国に関わる様々な問題に投影される可能性がある。この点については東南アジア諸国における人権・民主化状況を含めて次項で言及する。

(2) 強まる東南アジアのジレンマ

ここでは、バイデン政権初期の外交政策と中国の反応を東南アジア諸国がどのように受け止め、いかに対応したについて触れておく。トランプ政権下での東南アジアへの関心低下やＡＳＥＡＮ軽視に不満を募らせていた域内諸国は、新政権下での米国の関心や関与の復活を一面では歓迎した。一方で、「新冷戦」とも評される体制間対立の認識や先進諸国による多国間の対中封じ込めの動きが強まるのに対して、東南アジア諸国の間では米中のいずれに付くかの二者択一を迫られることへの警戒感が強まった。

同諸国は、中国の大国志向や強引で威圧的な外交手法に対して脅威を感じながらも、コロナ後の経済回復やその先の経済成長を見据えた場合、中国との経済関係の維持・発展はもはや不可欠と認識されており、米国の強硬な中国敵視姿勢に安易に便乗するわけにはいかないと考えられている。米ソ二極化の冷戦時代とは異なり、国家間に深刻な安全保障上の対立や軋轢があっても、それと並行して経済面では相互依存が継続・深化するのは日本も含めてグローバル化した国際社会の現実であり、一方のサイドへの全面的な便乗と他方との分離は非現実的である。とりわけ中小の発展途上国にとって米中二大国間での二者択一はもはや選べない選択肢となっている。

二〇二一年五月に日本経済新聞社主催の国際シンポジウム「アジアの未来」にオンラインで参加した東南アジア各国首脳の発言は、そのような域内国の立場を表している。例えば、フィリピンのドゥテルテ大統領は、「大国は小国を犠牲にして利害を追及する誘惑に抵抗すべきだ。（中略）大国間の競争でどちらかの側に付く必要を感じない」、シンガポールのヘン・スイキャット副首相は、「（米中間の）競争は避けられないが、建設的な枠組みのなかで行われるべきだ。（中略）健全な枠組みの下での競争であれば、イノベーションの契機となり、世界的な課題の解決策の創出にもつながる」と述べている。[38] 米中のいずれかを支持する立場を回避すると同時に、ＡＳＥＡＮが伝統的に維持してきた米中両大国の均衡を図るバランシング（均衡化）によって地域の安定化を図ろうとする対応がやはりここでもうかがえる。

米中対立の新たな展開への対応とともに、バイデン政権が前面に掲げた人権・民主化重視の政策による影響とそれへの東南アジア諸国の反応も注視すべき点である。近年、東南アジア各国で中国傾斜が進むにつれ、「ＡＳＥＡＮ憲章」に明記された「民主主義、法の支配、グッドガバナンス、人権と基本的自由」の促進という目標に逆行するケースが目立つようになった。こういったケースを抱える国は、バイデン政権下の米国による批判や制裁の対象になる可能性があり、それがまた中国を刺激してさらなる外部勢力の介入による事態の複雑化を招きかねない。以下に、東南アジア諸国の人権・民主化問題と米中関係の構図について触れておこう。

親中派の筆頭であるカンボジアでは、三〇年近くに及ぶフン・セン長期政権が独裁化を進め、二〇一八年の総選挙前には野党を徹底的に弾圧して圧勝した。この野党弾圧は、フン・セン政権への不満を強めた国民が野党を支持し、政権交代の可能性が高まったことによる政権側の危機感によるものであった。この時に野党を支持した国民の間には、中国への過剰な権利譲渡、与党と中国との癒着、中国人による地域経済の支配に対する反発が広がっていた。野党弾圧によって欧米諸国から経済制裁を受けているが、フン・セン政権は中国の支援を背景に強気の姿勢を続けてきた。

ミャンマーでは、中国からの支援を受けた軍部が一九六〇年代から長期にわたり軍事独裁を続けてきたが、過度な中国依存からの脱却を一つの理由に、二〇一〇年に軍政自らが民政移管に踏み切ったことで民主化が進んだ。しかし、選挙で選ばれたアウンサン・スーチー主導の政権にも、ロヒンギャ族に対する虐待問題を制御できずに欧米から非難を浴びるにつれて中国への再傾斜が起こった。さらに二〇二一年二月には、中国と依然密接な関係を持つ軍部がクーデターを起こして政権を奪還し、国際的批判にもかかわらず民主化運動を徹底して弾圧する挙に出た。

さらに、従来は中国と一定の距離をとって接してきたASEAN原加盟国の中にも、対中傾斜が進むケースがみられるようになった。フィリピンは先述の通り、ドゥテルテ大統領の下で親米から親中へと方向転換をみせたが、同大統領による麻薬犯罪者の超法規的処刑を、オバマ政権下の米国が人権問題として強く批判したことが反米・親中化を促した面もある。タイでは、二〇一四年のクーデターで政権に就いた軍事政権が反政府運動への締め付けを続け、それに対する欧米からの批判や制裁を受けて同政権は中国に接近し、武器の購入や鉄道建設で対中依存を強めた。

またマレーシアでも、二〇一〇年代半ばに政府系投資会社1MDBに絡む不正融資や横領疑惑の大スキャンダルを抱えたナジブ首相が、保身のために権威主義を強めた時期があった。じつは、その過程で中国が1MDBの負債を軽減する資金提供で不正疑惑の渦中にあった首相を支援し、それに合わせて同国での「一帯一路」案件が急速に増えていった。間接的ながら中国の内政関与と政権の対中傾斜および権威主義化が同時に進んだのである。二〇一八年総選挙で、同首相の不正と対中依存を批判する野党への政権交代が起こり、対中政策の見直しが図られたものの、ナジブ政権期に中国からの経済進出とマレーシアの対中負債は大きく増加した。(39)

これらの点からもわかるように、東南アジア諸国の権威主義的政権を水面下で背後から支援し、これら政権の権力維持やその長期化を促す意図を持った中国の行為は、経済支援における内政不干渉という名の裏で進む実質的な相手国への内政関与といえる。これらの政権は、米欧日の先進国から批判や制裁を受けると中国に傾倒・依存し、中国も積極的に支援するため、結果的に民主主義・法の支配・人権擁護の促進といったASEAN憲章の目標から遠ざかることになる。これも近年の中国の台頭がもたらす東南アジア諸国、ひいては広く発展途上諸国全般への深刻な影響といえる。一方、近年では、上記の五ヵ国の内政状況にも表れているように、中国と関係を深める権威主義的政権に対して各国で市民社会が反発し、反政府・反中を掲げて抵抗運動を展開することも多くなった。いずれにしても、このような内政と外交の相関パターンは、近年、東南アジア地域の政治的不安定要因となっている。人権・民主化問題への厳格な対応を掲げるバイデン政権が、こういった状況下で実際にどのような対策を講じるかが注目される。しかし、権威主義に対する制裁などの強い対応は、当該政権を中国側に追いやる可能性を考慮せざるを得ず、米政権にとって影響力行使の選択肢は限られる。

5　おわりに――バランシングとバンドワゴンの狭間で

これまでみてきたように、中国の台頭と米中対立が深まる国際環境は、地政学的な構造変化に由来するものであり、米国の政権交代にもかかわらず、その影響は地域秩序の変革を伴いながら長期にわたって続く可能性が高い。経済と主権・安全保障の両面で両大国からの影響を強く受けてきた東南アジア地域は、このような局面において対外関係の方針や政策の選択をめぐり難しい選択を今後も強いられるであろう。本稿の最後に、やや長期的な視野から現在の東南アジアが置かれた立場と展望を、地域機構としてのASEANと各国家の両レベルについてまとめておきたい。

ASEANは冷戦期に西側途上国の連合体として結成されたが、冷戦後には旧社会主義国をも包摂して地域包括的な機構となり、小国による地域統合の基盤となった。その後、ロシアの影響力が衰え、また中国が高度経済成長を遂げつつも「韜光養晦」の下に控えめな対外姿勢を維持する中、米国主導のアジア太平洋地域での秩序形成過程においてASEANは存在意義を見出した。つまり、小国の連合ながら特定の国の力が突出しないよう大国間のパワーを中和または相殺しながら、同地域の安定化を促す独特の役目を果たしてきたのである。

このようなASEANのバランシング機能は、大国間の対立が低レベルで推移する状況下では一定の効果を生んだ。しかし、二〇一〇年代に入って、習政権下の中国が世界大で対米覇権争いに挑み始めたことで様相が変わった。東南アジア地域では、貿易・投資面で各国が中国の勢力圏に徐々に組み込まれ、南シナ海問題に代表される主権・安全保障問題でも中国の力による支配が強まった。さらに、トランプ米政権がアジア太平洋地域の秩序形成の主導的役割を半ば放棄し、ほぼ単独で対中敵視政策に出たことで地政学的構造は一変した。

域内諸国の結束と大国間での中立性を原資として交渉力と存在感を発揮してきたASEANだが、加盟国の一部が中国に取り込まれ、様々な問題において中国の代理人のように振る舞うことで、組織としての結束と中立性が損なわれ、地域のバランサーとしての機能は失われていった。ASEANのコンセンサス形成の上で重要な首脳会議や外相会議では、持ち回りの議長国が全会一致の原則に則りながらASEANとしての最終声明を取りまとめる方式をとっている。近年では、中国絡みの案件で全会一致の意見集約が難しく、結局その年の議長国の「親中」度が声明の表現や文言に反映されるようになっている。それほどまでに組織としての凝集力が弱化し、中国の影響力がASEANの存在意義を左右するようになっているといえよう。

バイデン政権に代わって、米国は国際協調を重視する路線に戻ったが、対中国で立場を共有しやすいクアッドやAUKUSでの連携が先行し、インド太平洋の中核に位置するASEANとの連携は取り残されてしまった。それもＡＳＥＡＮの分断とそれを促す中国の戦略によるところが大きい。ＡＳＥＡＮ内の亀裂や分断は最近始まったことではないが、ＡＳＥＡＮ半世紀の歴史の中でいま最も深刻なレベルに達しているといえる。

ＡＳＥＡＮのみならず各国レベルでも、中国の影響力拡大と米中対立の激化は様々な変化をもたらしている。経済面では、中国の高度成長と日米の相対的経済力の低下、特に日本の経済停滞により、東南アジア諸国の貿易依存度は軒並み中国が一位となった。また、投資と援助においても「一帯一路」構想を通じた中国の積極策によりインフラ部門を中心に関連諸国の対中依存は急拡大している。貿易での対中依存の高まりは世界的な傾向であり、自然発生的な面が強いが、投資・援助については中国の戦略が大きく物を言っている。このような傾向は基本的には中国経済の高い達成実績と潜在力に依拠するものだが、問題なのは、中国政府が各国の対中経済依存を人質に取るかのように、他国に対して政治、外交、安全保障などの面で親中的な姿勢や政策を取るよう求める点である。とりわけ途上国にとっては、中国が「韜光養晦」から「戦狼外交」に転じたことにより、バランシングの範疇を越えた対応が必要となり、同国への便乗または恭順（バンドワゴン）を迫られるケースが多々みられる。

東南アジアでは特にカンボジアとラオス、さらにミャンマーの軍事政権などが典型である。これら諸国のようにほぼ全面的なワンドワゴン化に至らずとも、米中対立下において経済では中国中心、安全保障では米国中心に何とかバランスを取りながらリスクの最少化を図ろうと腐心している国は多い。また、インドネシアのように、安全保障面だけをとっても、例えば、二〇二一年の五月に中国軍と首都周辺の海域で軍事演習を行い、八月には米軍と離島防衛を想定した大規模な軍事演習を行うといった、繊細なバランシングによって双方を過度に刺激しないようコントロールしている面もある。まさにバランシングとバンドワゴンの間での微妙なチューニングが求められる状況にあるといえよう。(40)

さらに、このような中国傾斜は、前節でも触れたように、東南アジア各国の政治発展に対する影響も大きい。域内諸国の多くが、米欧日などの先進国が提供する開発システムに便乗することで経済発展とともに、権威主義的な政治体制から民主化に向かうガイドラインを取り入れ、漸進的ながらそれを進めてきた。しかし、強大な権威主義国家である中国に傾斜することによって、依然として各国に内包される権威主義的な勢力や要素が刺激または活性化され、かつ中国が直接的、間接的にそれを支援することで民主化の逆行が進むケースが目立つ。

現在、域内で親中派とされる国はほぼ権威主義体制下にあり、また最も民主化移行が早かったフィリピンやタイにおいてさえも民主化の波が逆流する動きがみられる。長年、途上国の民主化の最大のガイド役であった米国が、トランプ政権時代にその役目を投げ出したことも逆流を促す要因となった。バイデン政権は再びこの点にコミットしようとしているが、それ自体が各国の内政を不安定化させる要素にもなりかねない。

地政学的地殻変動によってこれまでの均衡状態が大きく動揺し、新たな地域秩序を求めて米中双方が自陣への支持を得ようと引き合う中で、東南アジア各国が両大国との関係をいかにバランスさせ、自律的な発展の余地を確保できるか、またＡＳＥＡＮ内での足並みの乱れや政策上の対立をいかに調整できるか、その真価が今まさに問われている。

注

（1）ＡＳＥＡＮ原加盟五カ国のインドネシア、フィリピン、タイ、マレーシア、シンガポールに加えて、一九八四年にイギリスから独立したブルネイが独立と同時に加入した。冷戦後には、ベトナム、ミャンマー、ラオス、カンボジアが次々と加盟し、当時の東南アジア域内国のすべてが加盟することになった。二〇〇二年に独立した東ティモールはＡＳＥＡＮへの加盟申請をしているが、二〇二一年時点でまだ承認されていない。

（2）ＡＳＥＡＮ憲章全文（原文）*The ASEAN Charte*〈https://asean.org/storage/November-2020-The-ASEAN-Charter-28th-Reprint.pdf〉

（3）Organski, A. F. K.（1968）*World Politics, 2nd ed.*, Alfred A. Knopf. 参照。

（4）オーダー・トランジションについては、福田保（2018）「オーダー・トランジションの中のアジア国際関係」福田保編著『アジアの国際関係――移行期の地域秩序』春風社、二〇一八年、参照。

（5）*BBC NEWS Japan*、二〇二〇年一二月二七日〈https://www.bbc.com/japanese/55457085〉。

（6）「中国製造２０２５」については、同文書の全訳である研究開発戦略センター（2015）「『中国製造２０２５』の公布に関する国務院の通知の全訳」参照〈https://www.jst.go.jp/crds/pdf/2015/FU/CN20150725.pdf〉

（7）日本貿易振興機構（ジェトロ）（2020）「ジェトロ世界貿易投資報告――二〇二〇年版」二〇二〇年七月三〇日、九頁〈https://www.jetro.go.jp/ext_images/world/gtir/pdf/outline_2020.pdf〉

（8）『日本経済新聞』二〇二一年三月二三日（*The Economist* 誌からの転載記事）。

（9）防衛省（2021）『防衛白書（令和2年度版）』pdf版、五九～六〇頁〈https://www.mod.go.jp/j/publication/

wp/wp2020/pdf/index.html〉

（10）防衛省（2021）前掲書、「中国」の項参照。

（11）このような認識が最も明確かつ体系的に示されたものとして、二〇二〇年五月二〇日の政府報告書「中国に対する米国の戦略的アプローチ（United States Strategic Approach to the People’s Republic of China）」参照〈https://china.usembassy-china.org.cn/wp-content/uploads/sites/252/U.S.-Strategic-Approach-to-The-Peoples-Republic-of-China-Report-5.24v1.pdf〉

（12）『日本経済新聞』二〇二〇年九月三日。

（13）平川幸子（2020）「『一帯一路』時代の日本外交——リベラルなＡＳＥＡＮの守り」金子芳樹・山田満・吉野文雄編『「一帯一路」時代のＡＳＥＡＮ——中国傾斜のなかで分裂・分断に向かうのか』明石書店、二〇二〇年、七二頁。

（14）貿易相手国の順位は、アジア経済研究所『アジア動向年報』の二〇〇六年版と二〇二〇年版の国別貿易量の統計を基に算出。

（15）稲田十一（2020）「ドナーとしての中国の台頭とそのインパクト——カンボジアとラオスの事例」金子・山田・吉野編著、前掲書、参照。

（16）「一帯一路」の概要、研究動向、評価などについては、伊藤亜聖（2018）「中国・新興国ネクサスと『一帯一路』構想」末廣昭・田島俊雄・丸川知雄編『中国・新興国ネクサス——新たな世界経済循環』東京大学出版会、二〇一八年、渡邊紫乃（2019）「『一帯一路』構想の変遷と実態」国際安全保障学会『国際安全保障』第47巻第1号（二〇一九年六月）など参照。

（17）中国商務部「〝走出去〟公共服務平台」ＨＰ参照〈http://fec.mofcom.gov.cn/article/jwjmhzq/〉

（18）佐野淳也（2021）「数値からみた中国の一帯一路構想の実像――「親中」国を増やすために推進」『環太平洋ビジネス情報ＲＩＭ』Vol. 21、No. 80、二〇二一年〈https://www.jri.co.jp/page.jsp?id=38255〉

（19）Tham Siew Yean（2018）'Chinese Investment in Malaysia: Five Years into the BRI', *ISEAS Perspective*, 2018 No.11（27 February 2018）参照。

（20）金子芳樹（2010）「マレーシアの中国傾斜と政権交代――『一帯一路』をめぐるジレンマとその克服」金子・山田・吉野編著、前掲書、二二三～二三九頁。

（21）'How China Got Sri Lanka to Cough Up a Port', *New York Times*, June 25, 2018〈https://www.nytimes.com/2018/06/25/world/asia/china-sri-lanka-port.html〉

（22）稲田（2020）前掲論文、一七九～一八一頁。

（23）*The Wall Street Journal*, July 22, 2019、『日本経済新聞』二〇一九年八月二〇日。

（24）『日本経済新聞』二〇一九年八月二八日、プラシャント・パラメスワラン（2019）「欧米に締め出されたファーウェイ、東南アジアで５Ｇ市場狙う」『ニューズウィーク日本語版』二〇一九年七月一日〈https://www.newsweekjapan.jp/stories/world/2019/07/5g-5.php〉

（25）例えば、Bratton William（2021）'China is the dragon that will consume Asia's economic future: RCEP agreement gives Beijing a win at the expense of everyone else', *NIKKEI Asia*, January 13, 2021〈https://asia.nikkei.com/Opinion/China-is-the-dragon-that-will-consume-Asia-s-economic-future〉

（26）軍事拠点化の実態や米中両軍の動向については以下の文献による。防衛省（2021）「南シナ海情勢（中国による地形埋立・関係国の動向)」〈https://www.mod.go.jp/j/approach/surround/pdf/ch_d-act_b.pdf〉

(27)上野英詞(2016)「南シナ海仲裁裁判所の裁定――その注目点と今後の課題」笹川平和財団海洋政策研究所『海洋安全保障情報特報』二〇一六年九月一日〈https://www.spf.org/oceans/b160901-4.pdf〉

(28)佐藤考一(2014)「米中対峙下の南シナ海紛争」黒柳米司編『「米中対峙」時代のASEAN――共同体への深化と対外関与の拡大』明石書店、二〇一四年、一二〇〜一二一頁。

(29)鈴木絢女(2016)「南シナ海問題と米中対峙時代のマレーシア外交」『The Daily NAA マレーシア版』二〇一六年六月二八日。

(30)佐藤考一(1999)「スプラトリー諸島問題とマレーシア」『東亜』一九九九年一月、Layang Layang Island Resort HP〈http://www.layanglayang.com/〉

(31)インドネシアの対中認識・政策については、首藤もと子(2014)「インドネシアの対中政策・対中認識の新展開」『主要国の対中政策・対中認識の新展開』日本国際問題研究所、二〇一四年参照。

(32)会議への出席情報については各種新聞報道を参照。

(33)Pompeo, Michael, Secretary of State(2020)'U.S. Position on Maritime Claims in the South China Sea', July 13, 2020〈https://ASEAN. usmission.gov/u-s-position-on-maritime-claims-in-the-south-china-sea/〉

(34)The White House, USA(2021)'Interim National Security Strategic Guidance', March 03, 2021〈https://www.whitehouse.gov/wp-content/uploads/2021/03/NSC-1v2.pdf〉

(35)訪問国は、シャーマン国務副長官がインドネシア、カンボジア、タイ、オースティン国防長官がシンガポール、ベトナム、フィリピン、ハリス副大統領がシンガポール、ベトナム。『日本経済新聞』二〇二一年八月六日、九月一七日、一八日、一九日。

(36)『日本経済新聞』二〇二一年六月三日、七月二八日、三一日、八月二四日、二五日。

(37)『日本経済新聞』二〇二一年八月八日、九月一七日、一八日。

(38)『日本経済新聞』二〇二一年五月二〇日、二一日、二二日。

(39)詳しくは、金子(二〇二〇年)前掲論文、二二九－二三九頁。

(40)『日本経済新聞』二〇二一年七月二九日。

金子芳樹

第3章　現代日本財界のアジア戦略とその隘路

1　はじめに——新自由主義的グローバリズムと財界

第二次世界大戦後、西側先進諸国は、東側諸国の圧力下、国家が経済に介入して資本蓄積を規制し、所得再配分や労働者の権利を拡充することによって平等で民主的な国家を作り国民統合を図ろうとした（福祉国家）。そうした福祉国家を、むしろ資本蓄積の障害と見なし、福祉国家を構築するために行われてきた国家介入を排除しようとする思想や運動を新自由主義と呼ぶ。このことは、この四半世紀の経験から、既に異論無く受けいれられる状況にあるだろう。

新自由主義は、それを唱える学者、その恩恵に与ろうとする企業経営者、彼らを背景とした政治家や政党、国際機関などの「活躍」によって、一国内における改革に留まらず、国際的な資本移動の自由や各種規制緩和等を求め、半ば実現させてきた（新自由主義的グローバリズム）。[1] 特に冷戦終焉後一〇数年を経て、二一世紀に入ってからの新自由主義的グローバリズムの拡大はめざましく、西側先進諸国だけでなく、南米や東欧、そして東アジアや東南アジアへ、そして遂に共産主義国家のはずの中華人民共和国すら、「特色のある新自由主義」と捉えられるに至っている。[2]

とはいえ、新自由主義には単一の教義や、コミンテルンのような国際戦略拠点があるわけではない。しかも、各国の歴史的経緯によって多様な様相を見せるものでもある。

特に、日本における新自由主義改革は、三つの段階を経て展開してきたと考えられ、それは本章の課題である、「アジアにおける新自由主義」を考える際、無視できない要素であるように思われる。[3]

まず第一段階として、一九七〇年代後半から一九八〇年代半ばまでに展開された、民間大企業労使の「協力」によって経営の合理化（減量経営）を行うとともに、それを国家にまで強制し（行政改革）、強力な輸出競争力を持つ「小さな国家」を実現した段階である（八〇年代型新自由主義）。

次に第二段階として、その八〇年代日本の強力な経済力を忌み嫌った欧米諸国の圧力、特に一九八五年のプラザ合意を契機とした円高を背景とし、さらに八〇年代型新自由主義の後遺症としてのバブル崩壊を契機に試みられた、政治改革を伴った急進的な新自由主義改革（橋本六大改革）に踏み切った段階である（九〇年代型新自由主義）。これは八〇年代において日本と位相の異なる新自由主義改革を行い、先行して経済の新自由主義的グローバリズムの実践を試みていた米国や英国のレーガノミクスやサッチャリズムを踏襲したものであった。

そして第三段階として、国内における金融機関の破綻（山一証券、北海道拓殖銀行、長債銀等）とアジア通貨危機による第二段階の新自由主義の破綻の後に試みられた、政府・日銀の介入を頼る中で漸進的な新自由主義改革（小泉構造改革、アベノミクス）を行う段階である（二〇〇〇年代型新自由主義）。

こうした段階性は、一九八〇年代において、まだ英米が新自由主義改革の成果が出ない中、輸出主導型経済構造の強化に日本が成功したが故に起こったものであったが、それはまた、経済構造的にも、国民世論的にも、そして政治的にも新自由主義的グローバリズムに乗り遅れたことを意味した。この結果、例えば一九九七年のアジア通貨危機とその解決過程の分析において、米国ないし「国際資本」、それらを背景としたＩＭＦ（国際通貨基金）の役割とその動向については、さまざまな立場から批判がなされているものの[4]、日本の主体的なアジア戦略については過小評価され、むしろアジア危機を救おうとする取り組みを行ったにも関わらず（新宮沢構想）、米国あるいは「国際資本」の干渉によって挫折したとするなど、日本も被害者であったかのような論を多々目にする傾向にある。[5]

こうした中、二〇二〇年代の初頭にあたる今日、いったん立ち止まってアジアの新自由主義と日本の関係を振り返ることは、今後のアジアを考える上でも重要な作業となるように思われる。

もっとも、そもそも「アジア」という概念すら慎重に検討すべき対象であり、東アジアと東南アジア諸国の個別事情にまで踏み込んでアジアの新自由主義の検討を行う事、さらには個別企業の海外進出（多国籍企業化）やそれらの企業が構築するサプライチェーンの変貌の解明はおおよそ筆者の手には余る。[6]そこで検討の対象を以下のように限定したい。

この日本における新自由主義政策の推進者の一つは、日本企業の経営者達が形成して政府に対して政策提言を行ったり、政府の審議会などに参画して新自由主義政策の遂行を促したりする経済団体（あるいはいくつかある経済団体を総称して「財界」と呼ぶこともできる）である。彼らは日本企業の政治的意思を総括して政治に働きかけることをそのレーゾンデートルとしていることから、新自由主義改革とグローバル化に関しては、その大枠、例えば関税引き下げや国際的な貿易ルールの制定、安全保障と歴史問題のコンフリクト等の諸問題の解決を慫慂してきたと考えられる。

その日本の経済団体の中でも、特にアジアにおける戦略を多々提言してきた、経済同友会（以下同友会と略す。一九四六年発足）と日本経済団体連合会（以下経団連と略す。一九四六年発足、二〇〇二年日本経営者団体と統合して新発足）の二つの団体が、アジアにおける新自由主義に対し、どのように戦略を立て、それを実現してきたのか、そして（おそらく）どう失敗してきたのか、本章ではそれを扱う事にしたい。

一国の中の経済団体が、その所属する国民国家に対してグローバル化を働きかけるその矛盾や齟齬は、翻ってアジアの新自由主義像を正確に映し出す鏡となるだろう。以下、やや歴史を遡ってから、日本財界のアジア戦略とアジアの新自由主義の諸段階を検討することとしよう。

2　戦後日本財界の対アジア戦略

ブレトンウッズ体制下のグローバリズムは、為替レートの固定という歯止めを掛けた上で貿易・為替の自由化と資本自由化を進めていたという意味で、後の新自由主義的グローバリズムとは大きく異なるものであった。(7)

（1）ＩＭＦ・ＧＡＴＴ体制下のグローバリズムと日本財界

戦後日本のグローバリゼーションは、一九五五年からのＩＭＦ・ＧＡＴＴ（国連通貨基金／関税貿易一般協定）体制という無差別・自由貿易というグローバルなルールのもとに進められた。日本は貿易の自由化には積極的ではあったものの、ＯＥＣＤ（経済協力開発機構）加盟の条件とされた資本の自由化については、国際競争力を獲得、あるいは既に失った分野から段階的に進める漸進主義を採った。(8)これは冷戦終焉後の新自由主義的グローバリゼーション下におけるアジアの資本自由化策との大きな違いとして銘記されるべきこととなる。

また、戦後賠償とグローバリゼーションがセットなっていたことも日本の特徴で、さらに、軍需産業の復活構想と対アジア進出構想がセットとなることにもなっていた。(9)

しかしながら、冷戦の苛烈化と戦争責任問題の故に、もともと防衛産業による輸出も盛り込んでいた日本企業の東南アジア、東アジアへの再進出構想は大きく修正を迫られることとなった。[10]

一九五四年一一月のビルマ（現ミャンマー）を皮切りに、一九五六年のフィリピン、一九五八年一月のインドネシア、一九五九年五月の南ベトナムと続く戦時賠償問題の解決がなされ、経済協力を元にした東南アジアへの進出が実現するものの、大物財界人として一九五七年二月に発足した岸信介内閣に参画した藤山愛一郎のみならず、「財界四天王」の一人、小林中経団連経済協力懇談会会長がインドネシア交渉に介在して東南アジア諸国の日本企業の再進出に対する警戒心について見聞し、[11]革新官僚から戦後、一九六八年に経団連の会長に上り詰める異色の経歴を持つ植村甲午郎も、南ベトナム交渉の際の外相特使としてこの問題に直面していた。[12]

この結果、両国に対しては、植村が提示した純賠償と経済協力のための借款による解決（植村試案）が図られることとなったのである。

（2）一九五〇年代の限定的な日本のグローバル化

賠償からスタートしたアジア再進出構想であったが、五〇年代のうちには日本の国際収支がいまだ黒字基調とはなっていなかったため政府による投資は難しく、民間企業もそのリスクの高さから及び腰であった。

そうした隘路を解消するため、政府は日本輸出入銀行その他の海外投資機関設立構想を打ち出した。

しかし、経団連は「国家資金による投資機関は、相手国に対して政治的進出を意図しているかの如き誤解を招くおそれがあり、かつ、民間企業の商業ベースにのった投資に制約を与える可能性がある」と反対した。[13] これも戦争責任問題の存在を垣間見せるものであった。

もっとも、六〇年代に入り、日本が資本自由化を迫られる段になると、経団連は政府が輸銀の資金確保、円借款等の「政府援助を国策として強力に推進する」こと、すなわち民間投融資主体から政府主導への転換を求めた。[14] 既に貿易摩擦を来し始めていた欧米以外に輸出市場を創出していく必要があったからである。

こうした財界の姿勢に対し、開発援助と日本企業の輸出拡大を結びつけることについては通産省が熱心であったが、さらに対外援助を自らの主管と主張する外務省や財政を盾にその実現を渋る大蔵省という対抗関係が生まれ、日本の開発援助は無償供与とはならず円借款という形式となるとともに、海外投資リスクを軽減するための枠組としての特殊金融機関の設立とを特徴とすることとなった。[15]

こうした混乱した経緯の結果、たとえばインドネシアでは、倉沢愛子が分析しているように、初期に進出した企業は、鮎川義介等の岸人脈や石原産業の石原廣一郎のように、占領期からインドネシアに進出していた人物達であり、貿易を手掛けた商社にしても総じて中小規模で、[16] 財界の幹部企業によるものではなかった。

岸について一言しておけば、岸とて戦後の東南アジア政策は戦前のような帝国主義をむき出しにしていたわけではなかった。一九五七年五月に東南アジアを歴訪した際に発した「アジア開発基金構想」にしても、排他的な経済圏を作るのではなく、米国を始めとする西側各国からの投資を前提とする戦後的な開かれた（グローバルな）構想であった。[17]それでも同構想が頓挫した理由として、アジア地域が再び日本の権益化することに対する根強い米国の不信感があったことが指摘される。[18]

佐藤晋によれば、政府は、東南アジアの経済成長による安定、東南アジアにおいて日本を頂点とする「雁行形態的」発展構造を形成し、東南アジアへの中国進出の歯止めという安全保障上の意味をその中に見出していたというが、[19]肝心の日本企業が安全保障構想と戦争責任という歴史問題の相剋の前に逡巡していたことについては、改めて注目されるべきである。

（３）米国の覇権の揺らぎと新自由主義の萌芽

一九六〇年代は、安保改定と国民所得倍増計画という政治・経済両面に画期的な事態を出発点としていた。それはまた、公害や地域間・産業間格差などいわゆる「歪み」問題を抱えながらも、大企業労使関係の「安定」を背景に、高度経済成長をなし遂げた時代でもあった。

内政的には経済成長優先・ハト派的低姿勢（ニュー・ライト）を演出した池田勇人内閣、その池田内閣を批判しながらも、結果的に武器輸出三原則を閣議決定し、後期高度経済成長期を演出した佐藤栄作内閣の時代であった。これに対し、対外的には、西側先進諸国との貿易上の対等化（ＩＭＦ八条国化、ＯＥＣＤ加盟）を始めとする大国化、中華人民共和国との限定的な貿易回復（ＬＴ貿易、一九六二年）、大韓民国との国交正常化（一九六五年）、そして岸の路線を踏襲し、東アジア、東南アジアを基盤に日本の高度経済成長を実現するための努力が続けられた時代でもあった。[20]そこには、日本の独自の外交を貫こうという姿勢が見られ、例えば池田は対外政策的にはタカ派で、自らの反共意識から中国の影響力を削ごうと、タイ、ビルマ、インドネシアや南ベトナムに援助を行ったという。[21]

とはいえ、一九六〇年代は、一九六四年のUNCTAD（国連貿易開発会議）決議で先進国による経済援助一％目標が設けられ、先に見たように、経団連も政府の援助増大を求めたにもかかわらず、日本政府の東南アジアへの経済協力にはかばかしい進展は見られなかった。池田内閣期の日本経済は不安定であったし、[22]佐藤内閣は高度成長の歪み是正にかかる投資の必要性から、公債不発行主義の元では対外経済協力に限界があったからであった。[23]

さらに、佐藤内閣が成立した時期はまさに米国がベトナム戦争に本格的に介入していく時期にあたっており、東南アジア諸国は政治的に不安定であった。故に、当初は反共以外に共通点が無かったものの、地域の連帯によって大国と対峙しようという意味では中立主義的な色彩すら有したASEAN（東南アジア諸国連合）が一九六七年八月に発足したのであった。[24]

こうした環境下、日本の製造業大企業は、貿易自由化と資本自由化に備えて労使関係を安定させるとともに、時に通産省や金融界から懸念の目を向けられながらも投資拡大によって輸出競争力涵養に成功し、対先進国貿易で黒字を積み上げるようになっていた。このことも、財界にとっての東南アジア諸国を始めとする海外投資の重要性を減退させていた。[25]一九六五年、「証券不況」の最中に戦前の輸出シェアを回復し、一九六八年に西ドイツを抜いてGNP世界第二位になることこそそのメルクマールであった。

さて、こうした局面が一変するのは、ベトナム戦争の負担と日本の高度成長（そして西ドイツの高度成長）によって、米国の国際的地位が揺らぎ、為替管理によって事実上一国主義的な均衡経済を義務づけてきたブレトン・ウッズ体制が崩壊し、それをきっかけに変動相場制に移行する一九七〇年代初頭のことであった。

この米国の覇権の揺らぎに対し、佐藤首相はこれを奇貨とした沖縄復帰に邁進し、結果的に一九七一年の二つのニクソン・ショックについての対応を誤ることになる。[26]ドルの下落を食い止めるために取られた金融政策や財政政策は、後のハイパー・インフレの素地を作っていったことが知られているが、その対策の中で、貿易摩擦の解消と円高の是正のために、一九七一年八月の「円対策八項目」に経済協力の推進が盛り込まれたことが重要であった。[27]

円切り上げ回避のための経済協力推進という方向性は、資本自由化と共に深化していった。一九七一年の第三次資本自由化は、対内直接投資については自動車や石油化学などに買収の際に同意を必要とするなどの制限を設けていたが、対外投資については、間接投資、直接投資ともにほぼ自由化していた。新自由主義的グローバリズムの萌芽がここで見られるに至ったのである。[28]

とはいえ、これだけの圧力を受けながらも、日本は一九七一年の第四次資本自由化でほぼ自由化を終えたと言いつつ株式の持ち合い等で対内直接投資を防遏したし、為替もこの段階ではまだ「管理フロート」と呼ばれたように、完全に民間資本（いわゆる市場）が各国の金融政策を支配するには至っていなかった。

すなわち、先進各国は新自由主義の時代に突入する以前に、ネオ・コーポラティズムの試みや社会主義政策の推進など、様々な改革策に邁進する余裕を持っていた。[29]これも後の東アジア、東南アジアが即座に新自由主義的グローバリズムに巻き込まれたこととの大きな違いであった。

（4）日本企業の本格的なアジア進出とその反動

政府による開発援助が消極的で、かつ黒字減らしのために急激に行われるようになった対外直接投資は、アジア諸国への直接投資の第一次ブームを巻き起こした。しかしこの第一次ブームにおいて、財界を震撼させる出来事が起こった。一九七四年一月の田中角栄首相東南アジア歴訪に際し、田中が各国で反日デモに遭ったという事件である。(30)

既に一九七〇年七月に、同友会は海外の経済団体、米CEDと豪CEDAとともに「東南アジアの開発援助」と題する国際共同提言を行って民間経済交流の重要性を強調していた。(31) 加えて一九七三年六月には、同友会だけでなく、経団連、日本経営者団体連盟、日本商工会議所、日本貿易会の五団体の共同提言『発展途上国に対する投資行動の指針』において、発展途上国に対する海外投資が受け入れ国の開発・発展と国民福祉の向上に資する形のものにすることや、受け入れ国の立場に立って、その国の企業活動をめぐる諸条件・慣習等を尊重することを謳った。(32)

しかし、諸先進国の中で政府開発援助（ODA）が低位に留まる中、財界の非主流派企業から徐々に進んでいた日本企業の東南アジア進出は、日本企業のために日本政府が海外援助を行っているという図式に留まっており、さらに現地では開発独裁政権と日本企業の癒着、資源を当てにした資源外交が厳しい目で見られていた。それが事件の背景であった。(33)

同事態に敏感に反応したのは、同友会であった。同友会は、冷戦下の米国や日本政府の東南アジア政策からの干渉を受けながらも、一九七四年六月二四日には「東南アジア経営者会議」開催にこぎ着け、ASEAN諸国との民間経済レベルでの意見交換に成功した。[34]

他方、東アジアへの日本企業進出はより財界主流派によるものとなっていた。一九六八年に着工された浦項製鐵（現在のポスコ）は、日韓基本条約に基づき、日本からの資金、技術、人材が投入されたものであり、着工後すぐに八幡製鉄と富士製鉄はここに深く関わっていた。[35] 開発独裁政権の元での民間企業主体の関係改善は、後の中華人民共和国との間でも行われており（一九八五年の宝山鋼鉄の成立と新日鉄）[36]、植民地責任・戦争責任の贖罪を兼ねた日本企業のグローバル化の一つの典型例と言えた。

しかし、開発独裁政権下では多くの国民の声が圧殺されていたと考えられ、戦争責任と植民地責任問題が残されていたことが明らかとなるのは、冷戦終焉後のことであった。

3　日本財界の新自由主義的グローバリズム

一九七〇年代の後半から八〇年代に入る頃には、徐々に新自由主義的グローバリズムの形成がなされていき、八〇年代後半には本格化する。そこには二度のオイル・ショックを経て西側先進諸国が取り組む事になった新自由主義改革という経済的理由と、ベトナム戦争終結によるアジアの構造変化という政治的理由の二つが絡んでいた。

本節では日本財界の動向を追い、その過程を跡づけることとする。

（1）ＡＳＥＡＮの展開と福田ドクトリン

一九七五年四月三〇日のサイゴン陥落でベトナム戦争が終結に向かったことは、その後ベトナムとカンボジア、ベトナムと中国との間で戦火を交えることがあったとはいうものの、東南アジア情勢に大きな変化を与えた。一九七六年二月のＡＳＥＡＮ第一回首脳会談において、地域経済協力が打ち出されたのである。[37]

ここに食い込んだのが、一九七〇年代初頭からＡＳＥＡＮとの関係構築に成功していた同友会であった。同友会はＡＳＥＡＮとの間で「第二回東南アジア経営者会議」を一九七五年七月三〇日に開催し、同席でＡＳＥＡＮ側が日本との経済協力による経済活性化に積極的な姿勢を示した。[38]

一九七七年七月一七日に開催された「第四回東南アジア経営者会議」では、日ＡＳＥＡＮ双方が関係企業にアンケート調査を行い、一層の技術移転、人材登用、現地パートナー企業の経営能力の評価が求められていることが明らかとなった。[39]当時のＡＳＥＡＮ側の要求は、それまでの日・ＡＳＥＡＮ関係のような、資源や低賃金を当て込んだいわゆる先進国と発展途上国という上下関係のあるものではなく、対等な関係を構築するということであった。

この成果は時の福田赳夫首相の東南アジア歴訪に取り入れられ、同年八月の東南アジア歴訪の際、八月一八日にマニラで発表されるいわゆる「福田ドクトリン」に結びついた。福田ドクトリンは、概要、①軍事大国にはならない、②真の友人として心と心のふれ合う相互信頼関係を築きあげる、と謳った上で、③「対等な協力者」の立場に立って、ASEAN及びその加盟国の連帯と強靱性強化の自主的努力に対し、志を同じくする他の域外諸国とともに積極的に協力し、また、インドシナ諸国との間には相互理解に基づく関係の醸成をはかり、もって東南アジア全域にわたる平和と繁栄の構築に寄与する、というものであった。「福田ドクトリン」は、外務省アジア局と福田の政治理念が結びついたものであることが知られているが、[40]この第三項目における「対等な協力者」こそ、同友会とASEAN諸国の経営者達の民間レベルの交流から生まれた宣言だったのである。[41]

一九七四年の田中東南アジア歴訪時にも田中は「東南アジア五原則」なる宣言を携え、そこでは東南アジア諸国の自主性の尊重や東南諸国の経済的自立を脅かさず、その発展に貢献することなどを謳っていたが、[42]それが受け入れられず暴動に発展し、対して福田ドクトリンが今日に続く東南アジア政策の基本となっているということは、平和主義という憲法九条の理念を前面に出したというだけに留まらず、対等な関係の構築という、ASEAN側のナショナリズムを満足させる要素の必要性を物語っていた。

とはいえ、これは対等な立場という原則の元で行われる経済進出の受け入れ、いわゆる外資に対する国内市場の解放という新自由主義的グローバリズムへの適応でもあった。

同友会は、一九七九年七月二、三日の「第六回会議日本・ASEAN経営者会議」（第五回会議から改称）から基金構想を温め、一九八〇年七月の第七回会議で「日本アセアン開発会社」設置構想を発

表し、一九八一年一一月の第八回会議で実際に設立されている。(43)

(2) 環太平洋構想と財界

東南アジアとの対等な立場に基づく日本企業の進出は、同友会系企業こそ積極的であったが、重厚長大産業が鎮座する経団連は依然として国内における減量経営による生産性向上と輸出にこだわっており、本格的なものとはなっていなかった。

こうした中、一九七九年に発足した大平正芳内閣は、外務大臣に元経済企画庁官僚で民間エコノミストに転じてアジア太平洋協力を提唱していた大来佐武郎を擁し、(44)本格的な日本企業のグローバル化を構想し始めていた。

大平の構想は、安全保障と経済協力を結びつける「総合安全保障論」が基本であったが、そこに「黒字国の責任」という観点からの、環太平洋における経済協力が位置づけられている点が注目されるべきであった。欧米諸国と貿易摩擦を繰り広げるのを避けるためにも、日本が頂点をなす雁行形態を基本とする水平分業体制を環太平洋地域に構築すること、その経済発展によってアジア地域の安全保障環境も改善すること、これであった。(45)

そのためには、経団連に位置する重厚長大産業のグローバル化、アジア諸国における保護主義の撤廃、金融の規制緩和等の国際ルールの構築が必要であったが、総じて経団連企業は乗り気ではなく、加えて大平が急逝したため、いったんこの構想は白紙となる。(46)

後を襲った鈴木善幸、中曽根康弘内閣は、むしろ財界主流たる経団連の構想に引きずられる形で、オイル・ショック克服期に大量発行された赤字国債がもたらす障害を克服するための、行政改革という新自由主義改革（八〇年代型新自由主義）を採用するのであった。[47]

（3）プラザ合意と財界

日本の八〇年代型新自由主義は、同時代における英国のサッチャリズムと米国のレーガノミクスとは非常に異なる特徴が二点あった。

一つは「成功した」ことである。サッチャーもレーガンも、規制緩和や労働組合運動の弱体化によって自国の製造業の輸出競争力が回復されることを狙ったが、それはおおよそうまく行かなかった。むしろこの時期の金融の規制緩和によって、海外へ資本が縦横無尽に溢れ出すと同時に、そうした金融を操作するシティやウォール街が国際金融のメッカとして発展していった。[48]

これに対し、日本ではそれまでもさほど強いとは言えなかった労働組合運動は三公社の民営化によっていよいよ弱体化し、総評（日本労働組合総評議会）は消滅に向かった。都市の再開発や地域開発のための土地に関する規制緩和や金融の規制緩和は、製造業大企業における従順な労働者が協力する減量経営による輸出超過と負担軽減が生んだ莫大な利益の格好の投資先となった。

もう一つは、この一つ目の要因によって、日本が外資を積極的に受け入れる必要が生じなかったことであった。英国がＥＣ（現在のＥＵ）との特殊な関係を活かして日本の日産自動車を始めとする外資を積極的に受け入れた事、米国でコロムビア・ピクチャーズをソニーが買収したりしたことは、両国が製造業主導型の経済を諦め、金融と外資による経済、いわゆる新自由主義的グローバリズムに切り換えたことを意味した。[49] これに対して日本はこのタイミングでは十分に重厚長大産業の輸出による経済成長でやっていけたのである。

こうした差異がある中で、世界的に金融主導型の新自由主義的グローバリズムがいよいよ開始され、東アジアでは韓国が政治の民主化と共にOECD加盟によって外資を受け入れ、中国も改革解放路線に大きく舵を切った。[50] その波は日本が主導する形になっていたASEAN諸国にも押し寄せていた。[51] この波に日本が加わるには、いったん曲折があった。前述したように、減量経営と小さな国家化による企業負担の削減、労働者の自助努力化による献身的な企業支配への服従で十分に経済成長が担保されていたからである。

しかしながら、同友会に集った新進気鋭の経営者達や、一部の海外事情に詳しい官僚、さらには研究者の間では、かつて大平が唱えていた新自由主義的グローバリズム構想が再び力を持ち始めていた。その動きはさらに日本における八〇年代型新自由主義の旗振り役であった中曽根首相をも感化し、グローバル化に腰が重い経団連の主流派重厚長大産業経営者を変心させるべく、強烈な政策変更を行なったのである。

一九八五年一〇月のG5（先進五カ国蔵相・中央銀行総裁会議）におけるドル高是正のための協調介入決定、いわゆる「プラザ合意」と、それがもたらした強烈な円高を梃子とした国内改革提言である一九八六年四月のいわゆる「前川レポート」（国際協調のための経済構造調整研究会報告書）は、新自由主義的グローバリズムを慫慂するための財界内クーデーターでもあった。[52] 強くなった円は、日本国内からの輸出戦略を隘路に立たせ、海外直接投資による海外現地生産を有効化した。堰を切ったようにタイを始めとする東南アジアへの直接投資が著増した。同友会にＡＳＥＡＮ諸国の経営者達が要請していた、水平分業的な産業連関が構築されていき、以後さらに米国を始めとする輸出先の先進諸国、及び中国を交えた相互依存関係、いわゆる「三角貿易」体制が確立していくこととなるのであった。[53]

なお、中曽根とそのブレイン達は、主として海外に出て行けない中小企業を慮って、それまでの行政改革、減量経営路線を転轍して金融緩和と財政支出の大盤振る舞いを行った。それがもたらしたのが日本におけるバブル経済に他ならなかったが、この似非金融主導型経済の寿命はわずか四年ほどしかなく、一九九一年以降、日本はバブル崩壊とその副作用に苦しみ続ける。とはいえ、円高環境が維持されたことから、日本企業の海外進出はその後も一層進むこととなった。

（4）「東アジアの奇跡」の幻影

一九八〇年代後半にはアジアでは新興工業国（ＮＩＣｓ）がいよいよ発展途上国の枠を超え、香港、シンガポール、韓国、台湾が Asian Forth Dragon と呼ばれた。

こうした発展がそれぞれの国家単位ではなく、国際的な資本移動によってなされたことは、すぐに呼び名が新興工業地域（ＮＩＥｓ）に取って代わられたことが暗示していた。

一九九三年には世界銀行が『東アジアの奇跡―経済成長と政府の役割』と題するレポートを発表し、永らく政府開発援助と同友会を始めとする民間経済交流によってアジアに貢献してきたことを自負してきた日本を満足させた。(54) 同時期、日本は欧米諸国から広範な批判（「日本異質論」）を受けており、そうした中でこうした日本型モデルを肯定するかに見えた報告書が出たからである。

しかし、よく知られているように、この報告書は、P・クルーグマンによって、域内の生産性は上がっておらず、単に投入量が増えただけだと酷評され、(55) クルーグマン自身は必ずしも新自由主義系の経済学者ではなかったものの、新自由主義的グローバリズムの目から批判の目にさらされるきっかけを作った。

それはまた（クルーグマンにそうした意図は無かったと考えられるが）、一度東アジアの成長が途切れると、そのモデル的正当性が問われ、新自由主義的改革が強制されるきっかけをつくるものでもあった。そしてそれは世銀報告書発表からほぼ時を置かずして発生するのだが、実はこれには日本の九〇年代型新自由主義改革も関係していた。

（5）日本の九〇年代型新自由主義改革とアジア通貨危機

一九九一年に始まったバブル崩壊後の不況は、それまでの鍋底不況や証券不況、石油ショックや円高不況の時と異なり、財政出動をしても金融を緩和しても、賃金を抑制しても、一向に脱出できないものとなっていた。

今日から振り返れば、それが海外への資本流出によるものだったこと、八〇年代の新自由主義改革によって国民の生活基盤が脆弱化して少子化と消費不振に陥れられていたことが理由だと考えられるが、同友会系の財界人を中心として、当時はその理由が日本の新自由主義改革の不足、新自由主義的グローバリズムへの乗り遅れと捉えられ、一層の新自由主義的グローバリズム推進による危機克服が慫慂されていたのであった。(56)

加えて冷戦が終焉し、米国がクリントン民主党政権のもと、ＧＡＴＴウルグアイ・ラウンドが難航したために、それまでの多国間貿易ルールづくりから二国間貿易協定に舵を切り（ＮＡＦＴＡ、一九九四年発効）、ヨーロッパが統合を一段階進め（ＥＵ、一九九二年）、さらにかつては「ワルシャワ条約機構」を意味していた略称を携えた世界貿易機関（ＷＴＯ）が一九九五年に発足することとも関係し、財界の政府に対する新自由主義グローバリズム改革への要望、すなわち日本市場開放、規制緩和、国際協力は、同友会だけでなく、経団連も積極的に唱えるものとなっていた。(57)

そしてそうした財界からの声は、一九九三年政変とともにまずは細川護熙首相の私的諮問委員会（経済改革研究会）の報告書（通称「平岩レポート」）として政治に強く要請された。(58)

この声に押され、一九九六年に本格的に政権復帰した橋本龍太郎率いる自民党政権は、銀行・証券・保険の垣根を無くす金融ビックバンや二〇〇二年のプライマリーバランス回復を約束する財政構造改革（すなわち歳出削減）、消費増税（三％から五％化）、社会保障費の自己負担増、労働者派遣の対象拡大など、考えられる限りの新自由主義改革を行った。後に小泉純一郎によって「守旧派」とレッテルを貼られる橋本は、その小泉構造改革よりも原理主義的な新自由主義改革を行った急進改革者で

表1　アジア通貨危機時の日本の対外直接投資（ドル建）

	1996年	1997年	1998年	1999年	2000年
アジア	9,749	13,114	7,814	1,811	2,132
北米	11,493	7,765	6,590	6,600	14,176
中南米	△ 1,404	2,364	5,730	5,523	3,982
大洋州	691	284	1,420	41	282
欧州	2,916	2,607	2,509	7,997	11,116
西欧	2,819	2,502	2,327	7,859	10,950

（出所）日本貿易振興機構「直接投資統計」（https://www.jetro.go.jp/world/japan/stats/fdi.html）より作成。

あった。

その九〇年代型新自由主義改革によるデフレ効果は絶大で、米国との間の貿易摩擦と関連していたと考えられる極端な円高環境から、一気に円安に針が振れるほどであった。

この事は、外資導入による経済成長を実現するために、自国通貨をドルと固定して信用を担保していた東アジア、東南アジア諸国の交易条件を一気に悪化させた。ＡＳＥＡＮ諸国の通貨は日本円に対して四～五割切り上げになって日本への輸出が激減して貿易収支が悪化し、[59]日本からの投資も目減りすることとなったのである（表１参照）。日本は（米国も英国もそうだが）自らの改革が周囲に及ぼす影響に無頓着に過ぎたのであった。

東アジア、東南アジアの動揺は、短期的な利ざやを目的とし、世界中を飛び回る国際金融機関の格好の餌食となった。

しかも、経済危機時に頼りになるはずのＩＭＦは、むしろ新自由主義的グローバリズムを実現するための機関と成り果てていて、発端であったタイを始めとする東南アジア諸国だけでなく、韓国に対しても融資の見返りとして構造改革（という名の新自由主義的グローバリズムのための規制緩和パッケージの実行）を要求した。[60]

ＩＭＦ管理による一連の新自由主義的グローバリズムの負の効果もこれまたあまりにも絶大で、このアジア通貨危機に日本が及ぼした影響はほとんど忘れ去られるほどであった。

しかし日本の企業経営者に与えた心理的影響は大きく、例えばソニーの社長だった出井伸之は、「日本経済はソフトランディングしかできないわけです。日本経済がハードランディグしたら、米国は相当な悪影響を受けるし、アジアはもっと大変です。だからハードランディングはできない。残された途はかなり狭い。そこの認識が甘いと思う」と語っている。[61]

アジア通貨危機は東アジア、東南アジアに進出していた日本企業が為替変動リスクを軽視していたこともあり、日本企業にも直接マイナスの影響を与え、[62] バブル崩壊以降続いていた不良債権問題がここで一端ピークを迎える。四大証券の一つであった山一証券、都市銀行の一つであった北海道拓殖銀行などが一九九七年末までに姿を消したのである。

さしもの同友会も改革の一時停止を訴えざるを得なくなり、経団連では改革を慫慂していたトヨタ自動車の豊田章一郎から旧態依然たるイメージの新日鉄今井敬へと会長がバトンタッチされた。アジアにおける新自由主義はここで一敗地にまみれたのである。

4　東アジア自由経済圏構想

一九八〇年代から急速に進んだアジアにおける新自由主義的グローバリズムは、日本を含む先進諸国が自国で行った新自由主義改革により資金がだぶつき、かつ大幅な通貨調整が必要となるほどの先進諸国間の貿易摩擦が起きた結果、投資先として東南アジア、東アジアが選択されたことによって生じたものに他ならなかった。

とりわけ一九九〇年代に入ると、東アジア、東南アジアへの投資は民間主体となっていた。その反動とも言えるアジア通貨危機は、それまでも限定的に検討されていた、アジアにおける地域経済統合構想を活発化させた。ここでは東アジア自由経済圏構想に代表される、財界の地域経済統合構想が生まれる経緯を見よう。

（1）ＡＰＥＣの誕生

一九八九年に誕生したＡＰＥＣ（アジア太平洋経済協力会議）は、大平の環太平洋構想を元にしながらも、アジアにおける日本の歴史問題を背景に、通産省がオーストラリアを提唱者として、ＡＳＥＡＮ諸国とアジア太平洋地域の経済協力機構を目指したものであった。[63]

ちょうどECが米国の進出を阻むための地域協力として一九六七年にその形を整えたのと同様、当初APECは米国を除く枠組として構想されていたが、米国の参加を求めるASEAN諸国の要望と、アジア太平洋地域の独立をよしとしない米国の思惑が重なり、日・米・豪・韓とASEAN諸国を参加国としてスタートした。(64)

日本はGATTの自由・無差別原則に立つが故に、慎重にこの枠組に関与し、決して排他的な地域統合ではなく、域外にも開かれた経済協力機構とすることを主張した。(65) その意味で、APECはかつての環太平洋構想が実現したものに他ならなかったが、それだけに単なる経済協力だけでなく、安全保障も絡む点に大きな課題を抱えていた。

たとえば、アジアの米国からの自立を主張してアジア版EC（EAEC）構想を提唱するマレーシアのマハティール首相と米国の思惑との間で日本側、とりわけ同友会関係者は苦しい立場に置かれたという。(66)

このため、結局APECはその性格を明確化できないまま、一九九七年の通貨危機を迎えることとなったのである。

（2）通貨危機とAPEC

一九九七年七月タイに始まったアジア通貨危機は、国際収支の赤字拡大からドルペッグ制を維持できず、変動相場制を採らざるを得ないところを国際金融機関に攻撃されるという構図であった。(67) 短期の民間資金の流入に頼る経済構造は、他の東南アジア、東アジア諸国も同様だという連想から危機は瞬く間にそれらの国を飲み込み、フィリピン、インドネシア、韓国、マレーシアなどを襲った。

危機はインドネシアのスハルト政権を転覆させたほか、[68]韓国ではＩＭＦ管理に入ったことがナショナリズムを刺激し、折からの財閥批判もあって、これまた政権交代をもたらした。[69]韓国はこの後、無秩序な多角化を行って経済危機を招いた財閥を批判する世論を背景に左派政権が成立するも経済復興を実現できず、その不満が右派政権を誕生させて財閥主導の経済復興をすると今度は財閥批判及び政権の財閥との癒着が批判され、また左派政権が成立し、経済が停滞するという連鎖を生むこととなる。

こうした政局の流動化は、文字通り新自由主義的グローバリズムが政治の独自の領域を切り崩し、いわゆる「国家の相対的自律性」が失われた現れであった。

また、この危機は現代の世界構造を浮き彫りにした。第一に、東南アジア諸国（ＡＳＥＡＮ諸国）、東アジア諸国（韓国、台湾、香港）が結局の所、国際決済通貨であるドルと地域金融決済を米国に依存していたことであった。[70]したがって、何らかの地域決済機構ないしアジアにおける独自の通貨融通制度構築の必要性が喚起されたことであった。

第二に、新自由主義的グローバリズムと一線を画していた中国が、（実際には大きな経済的被害を受けていたとは言うものの）この通貨危機を契機にアジア圏に影響を拡大する可能性を示したことであった。[71]

まず、前者について、日本の橋本内閣は、日本自身が未だ急進的新自由主義改革を続ける中、一九九七年九月のＩＭＦ・世界銀行年次総会で「アジア通貨基金構想」を提唱し、[72]通貨危機の渦中の一九九七年一〇月二六日に第二三回「日本・ASEAN経営者会議」を開催した同友会も、遂にその新自由主義改革急進化の旗を降ろし、政府の積極介入を求めた。[73]

かつて岸信介が唱えた「アジア開発基金構想」同様、この「アジア通貨基金構想」もアジアにおける日本のプレゼンスの拡大を恐れた米国によって再び拒否されたという。[74] しかし、日本が本格的に九〇年代型新自由主義を諦め、小渕恵三が政権を率いるようになった後の一九九八年一〇月三日、アジア蔵相・中央銀行総裁会議において総額三〇〇億ドルの融資枠を設ける「アジア通貨危機支援に関する新構想」が披瀝された。大蔵大臣の宮沢喜一の名を取って「新宮沢構想」と呼ばれたこの構想は、二国間支援に留めることで米国が懸念する日本主導の経済ブロックとならないことを担保していた。[75]

このアジア蔵相・中央銀行総裁会議に先立つ九月二日にはマレーシアが固定相場制に移行して資本規制を行うなど、アジア諸国が米国主導の新自由主義的グローバリズムから距離を置こうとしはじめたことは明らかだった。二〇〇〇年五月には、日本・ASEAN・中国・韓国間の通貨スワップ協定、「チェンマイ・イニシアティブ」が結ばれた。[76]

第二点の中国の台頭については、同年一二月一四日から一六日かけて開催された日本とASEANの首脳会議及び日本、中国、韓国及びASEANの首脳会議を嚆矢とし、次年度以降、いわゆるASEAN＋3として定例化されていくことに如実に表れていた。[77]

この後、ASEAN諸国は日本と米国だけでなく、中国もその覇権拡大を狙う地域となり、元々東西ブロックの間で大国の介入を防遏するために発足したASEANは、この新しい局面を利用、もしくはそれに翻弄されながら二一世紀を迎えることとなる。

（3）日本財界の東アジア自由経済圏構想

日本における九〇年代型新自由主義は、新自由主義的グローバリズムに他ならず、日本国内を市場解放するとともに海外にも積極的に展開していく構想であった。

それが一敗地にまみれ、一九九八年以降の小渕内閣、森喜朗内閣といった政府の支援に頼る中で体制を立て直しつつあった財界であったが、国民はそうした政治をかつての自民党利益政治と同一視し、自民党政権は支持を失っていった。

そうした中誕生したのが、新自由主義的グローバリズムを「構造改革」と呼んで巧みに国民からの人気を獲得した小泉純一郎内閣であった。

二〇〇一年四月二六日に、かつての急進新自由主義改革を主導した橋本を守旧派呼ばわりして総理総裁の座に着いた小泉は、臨機応変にその経済学的スタンスを変える竹中平蔵を経済財政担当大臣に招聘し、橋本が手掛けた省庁再編による首相官邸、内閣府の機能強化の結果生まれた経済財政諮問会議を梃子に、急進的新自由主義改革を再起動させようとしていた。

しかし、市場に任せるために国家の介入を排除するという九〇年代型新自由主義改革の時代は終わっており、一九九九年五月に日本経営者団体連盟会の会長に就任したトヨタ自動車の奥田碩会長は「人間の顔をした市場経済」を唱え、[78] 同友会は小林陽太郎新代表幹事が「市場主義宣言を超えて」と題する就任挨拶を行い、[79] 前任の牛尾治朗代表幹事の「市場主義宣言」、すなわち新自由主義的グローバリズム追求路線からの修正を標榜した。財界は政府の介入を仰ぎながら漸進的に新自由主義改革を行う路線に転じていたのである。

しかも、地域経済統合による新自由主義的グローバリズムの修正を補おうとしている時代に、小泉はその自民党総裁選の公約として靖国神社参拝すら公約していた。(80) 独立回復後、アジア諸国との深刻な歴史問題との調整に務めていた財界にとって、これは頭の痛い話であった。

そこで二〇〇二年五月に旧日本経営者団体連盟と統合して新発足した日本経済団体連合会は、この国民からのポピュリスティックな人気を博す小泉を制御するため、一九九三年政変以来停止していた政治献金の斡旋を復活させると共に、長期ビジョンを提示することとした。

二〇〇三年一月一日付で発表された「活力と魅力溢れる日本をめざして」と題するビジョン（通称：奥田ビジョン）こそがそれであった。(81)

同ビジョンはもはや自国で生産・輸出する経済構造ではなく、対外直接投資からのリターンによって日本を成長させるMade "By" Japanを謳い、それを実現するための「東アジア自由経済圏」を日本、中国、韓国、ASEAN一三ヵ国で二〇二〇年までに構築することを求めた。(82) アジア諸国が欧米諸国と個別に経済連携協定を結ぶことを警戒し、地域経済統合を行いたいというのがその趣旨であったが、それはアジア通貨危機のような短期資金に頼る経済成長の脆弱性の除去のためとして正当化されていた。

また、同構想で注目されるのは、アジアが（基本的にキリスト教社会である）EU諸国と異なって民族や宗教上の対立があり、かつ領土問題などの平和を脅かしかねない火種があるとし、日本が東アジア諸国に対する歴史問題を背負っていることを率直に認め、「深い反省」からリーダーシップ発揮に消極的だった点を改めるとしていること、すなわち地域統合への貢献が不幸な歴史を乗り越えるチャンスとなるとしたことであった。[83] しかも、その建設に、日本と中国が共同でリーダーシップを発揮するとしている点にも、財界が時の小泉政権を意識していることが如実に表れていた。いわば経団連は福田ドクトリン的アジア観を福田の弟子にあたる小泉に求めたのであった。

同友会も二〇〇四年一〇月二七日の第三〇回「日本・ＡＳＥＡＮ経営者会議」で、中国を排除しないことにこだわるＡＳＥＡＮ諸国側の言い分を受け入れ、「東アジア経済共同体の設立」を求める共同声明をＡＳＥＡＮ＋３首脳会議に向けて採択している。[84]

しかし小泉は自身の公約実現にこだわり、毎年時期こそ違えども靖国参拝を続けた。この靖国参拝に対しては、中国、韓国が非難声明を発しただけでなく、表立った批判は無かったものの、東南アジアのＡＳＥＡＮ諸国も実は批判的だったという。[85]

二〇〇四年九月二〇日には同友会の代表幹事を退いたばかりの小林陽太郎が、二〇〇四年一一月二一日には新たに同友会代表幹事になっていた北城恪太郎が靖国参拝を諌め、小林の自宅に何者かによる火炎瓶襲撃が行われたというエピソードがあったが、[86] 財界の懸念通り、二〇〇五年四月九日の北京、一六日の上海等、中国で大規模な反日デモが起こってしまった。同友会は歴史問題を扱う歴史学者等による共同研究会立ち上げの提言までして同事態の沈静化を呼び掛けた。[87]

こうした中、東アジア自由経済圏が画餅に帰すかと思われた局面を救ったのは、小泉の後を襲った安倍晋三であった。二〇〇六年九月二六日に首相の座に就いた安倍は、一〇月八日、中国の胡錦濤国家主席との会談に望んで日中関係の改善に努め、この段階では財界の期待に応えたのである。

5　激動のアジア情勢と財界

新自由主義的グローバリズムは、資本の輸出国と輸入国の双方で、新自由主義的グローバリズムの主体となって豊かさを享受する層と、新自由主義的グローバリズムの元にリストラされて困窮化する層の間の格差問題を発生させた。

しかも、日本や米国を始めとする先進国は勿論、中進国であっても経済発展と共に民主主義的改革を遂げていたから、格差問題は政権批判につながると同時に、そうした大衆の気分を忖度するポピュリスト（大衆迎合主義者）達が政権を握るという現象が生まれることとなった。

新自由主義によって社会民主主義的枠組が失われ、かつ新自由主義が自らの新自由主義的グローバリズムに自家中毒を起こして破綻したこと、すなわち階級の共倒れによって支配構造が溶融しているのである。[88]

そうした中で、現在のアジアの新自由主義がどのような姿を描いているのかを見よう。

（1）米国一極主義的世界の形成とその崩壊

新自由主義的グローバリズムの反動は、各国の政治情勢に留まらず、米国を敵とする国際テロリズムとしても現れた。

二〇〇一年九月一一日に発生した米同時多発テロは、安全保障面だけでなく、各国の金融緩和という経済面でも大きな影響を与え、対アフガニスタン、イラク戦争の遂行と同時に米国のバブル経済の形成につながった。余剰資金の投資先は日本のバブル経済同様、住宅・不動産へと向かっていた。

こうした状況は後で振り返れば脆弱な基盤の上に建った経済体制だったが、しかし当時は強固な米国一極主義的世界の形成と捉えられ、日本政府、財界はその対応に追われた。小泉純一郎政権がアフガニスタン、イラク戦争を支持し、二〇〇三年から二〇〇五年にかけて財界が相次いで憲法改正構想を発表したことこそ米国一極主義的世界観の象徴であった。(89)

日本の新自由主義は、この対テロ戦争の渦中で大きな変貌を遂げ、二〇〇三年五月一七日、りそな銀行への公的資金投入が発表され、市場原理主義的なスクラップ・アンド・ビルド型の経済政策からの転換が明らかにされた。政府の介入を嫌うかに見えた外資は、むしろこの公的資金投入を機に日本株を買い占め、株価はV字回復した。日本企業が株式の持ち合いを解消し続けたこともあり、以後、東証一部の取り引きの六割から七割は海外投資家が占めるようになっていく。(90)

それでも債権国である日本は、アジア通貨危機時のアジア諸国とは異なり、ＩＭＦ管理下で構造調整を強いられるようなことは無かったから、外資による買収や圧力の結果は、消極的な経営姿勢へつながった。このため、多少の景気の改善にも賃金や雇用は改善を見せず、非正規労働者は以後も増加を続け、それは日本のデフレ経済化に帰結した。

既に小泉政権の末期には、政権が行った製造業への派遣労働の規制緩和が影響して日本の格差社会化が問題となっていたが、第一次安倍政権は米国一極主義的支配構造の中での束の間の好景気を過信し、教育基本法の改正などの自身の政治信条の方を優先、公的資金による金融機関の救済を受けていた財界も歩調を合わせざるを得なかった。

二〇〇七年一月一日に発表された日本経団連の『希望の国、日本』と題されたビジョンは、「アジアとともに世界を支える」として「開かれた東アジア共同体」の創設を提唱する傍ら、[91]「教育を再生し、社会の絆を固くする」として、愛国心に根ざす公徳心の涵養を唱えるものとなっていた。[92]

そしてこの米国一極主義的世界を一変させたのは、二〇〇八年のリーマン・ショックであった。返済が滞るリスクの高い階層にまで融資をして住宅を購入させ、その債権を金融商品に化けさせて世界中に融通するという奇術的な手法は、焼き畑農業的に新興国を食い荒らした先の最後の投資先を探した結果であったが、それがいよいよ逆転したのである。各国は急激な需要の減退と不良債権の著増に苦しむこととなった。

日本はその消極的な経営姿勢が幸いして金融システム自体は揺るがなかったが、米国一極主義的世界に対応し、円安下の米国輸出を当て込んで設備投資していた製造業はその直撃を受けた。

製造業から吐き出され、棲むところを失った派遣労働者達は、非正規労働者を支援する為につくられた「年越し派遣村」に集った。その姿は一九八〇年代から連綿と続いた日本の新自由主義政策の帰結であった。しかも、正規労働者との分断が煽られるなど、それは労働者間闘争などのさらなる負のスパイラルに向かう危険性すら有していた。

米国ではＡＩＧやＧＭといった巨大企業を救い、他方で失業者に手を差し伸べない姿勢に対する広範な批判が起こった。

一九九七年のアジア通貨危機後に東南アジア、東アジア諸国が結局財閥や国営企業を救わざるを得ず、国民にリストラを強いて不満を蓄積させ、政権が脆弱化したのと同じように、二〇〇八年のリーマン・ショックは先進各国でも同じ状況——経済危機時には新自由主義の自己責任原則が大企業とその株主においてのみ原則が曲げられて、一個人にはそのまま適用される——が起こったのである。

その反動として、いったんは米オバマ民主党政権、日本で民主党政権と、リベラル勢力の政権獲得が見られ、それはまたアジア通貨危機後の韓国の金大中政権の誕生などと似ていた。

ただし、危機後の政権運営を担ったリベラル政権は、一様に困難を抱えることとなった。

(2) 民主党政権下の動揺と新成長戦略としてのアジア

リーマン・ショックによる格差問題の具現化を大きな理由として、二〇〇九年九月一五日に民主党政権が誕生し、「日雇い派遣」の禁止など、それまでの新自由主義的政策の巻き戻しが試みられた。財界は、自民党政権の経済財政諮問会議に会長や代表幹事を送り込んでいたから、この政権交代で民主党に対する規制力を失うのは当然であった。しばらく財界は為す術を失っていたのである。

局面が変わるのは、二〇一〇年六月四日、鳩山由紀夫首相退陣の後を受けて菅直人内閣が誕生し、しかも菅首相の突然の消費増税発言によって七月一一日に行われた参院選で民主党が敗北した時であった。

菅は、財界が政権交代とともに政治献金という圧力も失い、ただ乱発していたに過ぎなかった成長戦略に呼応し、「新成長戦略」として法人税減税やアジアへのインフラ輸出に耳を貸し始めたのである。[93] 経済危機を克服するためには、リベラル政権であっても経済危機を引き起こした新自由主義の指導者たる財界を支援しなければならない――こうした矛盾はアジア通貨危機後の東アジア、東南アジア諸国でも、そしてＧＭを救わざるを得なかった米国でも見られた矛盾であった――。それは民主制である限り、国民の批判票となって、議会と行政府の逆転、ないし上院と下院の逆転となって政権を苦しめることとなる。

さて、二〇一〇年一一月一日、経団連、同友会にさらに日本商工会議所を加えた三団体は「ＴＰＰ（環太平洋経済連携協定）への参加を求める緊急集会」を開催し、「ＴＰＰ（環太平洋経済連携協定）交渉への早期参加を求める」と題する決議文を、この弱体化した日本における民主党政権に対し提出した。同提言は、本格的な人口減少社会を迎える日本が、経済の競争力を高め、国内における雇用を維持・拡大し、国民生活の向上を図っていくためには、アシア太平洋をはじめとする各国・地域との経済連携協定を積極的に締結し、わが国経済の成長につなげていかなければならないと述べていた。[94]

さらに、民主党政権が参院選敗北後の「菅おろし」で混乱する中、同友会はＴＰＰへの参加だけでなく、日本とＥＵとのＥＰＡ、さらにＦＴＡＡＰ（アジア太平洋自由貿易圏）実現にまで言及するようになる。[95]

民主党の混乱は二〇一一年三月一一日の東日本大震災でさらに悪化し、それは日本の財界にも深刻な影響を与えた。財界が民主党政権の「新成長戦略」に働きかけていた中にはアジアや中東に向けたインフラ輸出としての原発輸出が入っていたが、[96] それは風前の灯火となる。さらに加えて、それまで二酸化炭素の排出削減のために国内の原発も増やしていく方針だった民主党政権が、一転、国内の原発まで止めようとし始めたからである。[97] 同友会こそ、「縮・原発」を掲げて政権に呼応したが、[98] 重厚長大産業が集い、東京電力の社長が副会長を務めていた経団連、中小企業団体である日商からは悲鳴に近い提言が相次いだ。[99]

このうち原発政策については民主党政権下では財界の要求は適えられなかったものの、二〇一一年九月二日に発足した野田佳彦内閣は、財界からのしつこいTPP参加要求に応え、一一月一一日にTPP交渉への参加を表明、財界からの喝采を浴びた。[100]

さらに二〇一二年に入ると、野田は、これまた財界が望んで止まなかった社会保障財源の消費税化についても、[101] 消費増税を自民、公明との三党合意として受け入れた。[102] 民主党政権は、結局のところ新自由主義的グローバリズムが再起動する際の狂言回しを演じたに過ぎなかった。

（3）激動のアジア情勢

民主党政権にはもう一つリーマン・ショック後の新たな状況を演出するという役割があった。二〇一〇年九月七日、尖閣諸島に近づいた漁船と海上保安庁の警備艇の衝突が石原慎太郎都知事の尖閣購入発言などにつながり、最終的に野田政権が二〇一二年九月一一日、尖閣の国有化に踏み切ったことである。[103]

図式はその後も繰り返されるものであった。新自由主義的グローバリズムが国内に格差を生み出したところに経済危機が起き、大企業と株主のみが救済される。虐げられた国民は政府を批判するとともに、身近な他者に排外意識を抱く。領土問題はその模様がYouTubeに無断で公開されて世論を煽ったこともあり、象徴的な出来事となった。

新たな部分は、この時の相手が、リーマン・ショック克服の際、Ｇ７だけでは不可能だった需要創造をＧ20の一員として担い、世界第二位の経済大国としての地位を固めた中華人民共和国だったことだった。

中国は、当然アジア通貨危機やリーマン・ショックを十分に分析しており、新自由主義的グローバリズムから自立するためには、ユーロ圏のように、ドル圏とは別の中国版グローバリズム（元経済圏）を構築する必要があると堅く決意していた。

特に二〇一三年三月一六日に習近平が国家主席となると、その勢いは増し、二〇一四年一一月一〇日のＡＰＥＣ首脳会議で、中国が主体となった東西にまたがる一大経済圏構想である、「一帯一路」構想が披瀝されるに至っている。[104]

こうして、かつて米国が主導した米国一極主義的な新自由主義的グローバリズムは多極化し、少なくとも東アジア、東南アジアには、米国、日本、ＡＳＥＡＮ、ＡＰＥＣが複雑に絡まり合い、さらに本稿では触れることができなかったが、ロシアも関与への強い意志を持ち、北朝鮮は地域の安全保障に暗い影を投げかけている。

日本とＡＳＥＡＮの関係も中国を睨んだものに変わった。ＡＳＥＡＮ諸国は衰退する日本の経済力と急激に拡大する中国の経済力の差から中国からの援助や投資を増やしながらも日中間の相互牽制を望んでもいた。[105] 同友会は二〇一四年九月八日から訪中ミッションを行うなど日中関係の改善に努力しながら、[106] ＡＳＥＡＮと日本の関係の強化にも努力し、それはＡＳＥＡＮ諸国側からの要望の高度化に対する対応として現れた。

二〇一三年一〇月二三日から開かれた第三九回「日本・ＡＳＥＡＮ経営者会議」では日本の中堅・中小企業のアジア進出が考慮され、日本の地方企業が参加する分科会が開催され、[107] 域内のピラミッド型産業構造構築が話合われた。また、二〇一五年一一月二一日のＡＳＥＡＮ首脳会談で合意されるＡＳＥＡＮ経済共同体（ＡＥＣ）に向け二〇一四年一〇月二二日に開催された第四〇回「日本・ＡＳＥＡＮ経営者会議」ではＪＥＴＲＯと共同でサービス産業振興について議論がなされ、[108] 二〇一五年一〇月一一日〜一三日にシンガポールで行われた第四一回「日本・ＡＳＥＡＮ経営者会議」では、ＡＥＣとＥＵの比較や中国の進出について討議がなされるセッションがあった。[109]

こうした中、安倍首相は二〇一三年一二月二六日に靖国神社に参拝し、アジア諸国に批判されることはもちろん、時のオバマ政権にも批判された。以後は参拝をしていないが、小泉政権時とは異なり、財界は面と向かって安倍首相に参拝停止を求めなかった。これは、リーマン・ショックと民主党政権下で生じていた、財界の言うところの「六重苦」[110]（①円高、②重い法人税・社会保険料負担、③経済連携協定の遅れ、④柔軟性に欠ける労働市場、⑤行き過ぎた温暖化対策、⑥電力供給不足・コスト増）をアベノミクスによって大々的に是正して貰ったが為に、財界が政権に対する政治的影響力を失ったことを意味した。

無論、安倍内閣も、経済の復興による高い支持率による政権基盤の安定に味を占め、将来の憲法改正に強い意向を持っていたことから、経済連携協定による新自由主義的グローバリズムの再起動は経済成長のためにも喉から手が出るほど欲しいものでもあった。

安倍は二〇一四年一〇月に予定されていた消費税増税を先送りして一二月一四日に衆院解散総選挙を行って勝利し、二〇一五年前半を安保関連法案に費やし、支持率が下がるとＧＤＰ六〇〇兆円を実現する成長戦略を謳う「新三本の矢」を打ち出した。(111)

経済連携協定については、経団連が二〇一五年に再々度のビジョンの発表によって、二〇二〇年度までのＦＴＡＡＰ（アジア太平洋自由貿易圏）実現を働き掛けたが、(112)安倍は財界が唱えるような日中双方のリーダーシップによるものとは捉えず、対中国包囲網政策も睨み、二〇一五年一〇月五日に、農業自由化を限定的なものに留めたと強弁して強引にＴＰＰ合意に至る。財界はこれを歓迎したが、(113)財界自身に中国と対立する気はさらさらなく、翌二〇一六年二月四日のＴＰＰ署名の後には、経団連は日中韓ＦＴＡ、東アジア包括的経済連携（ＲＣＥＰ）といった新自由主義的グローバリズムの再構築のための要望を放った。(114)

この二〇一六年一一月八日の米大統領選で当選したドナルド・トランプは、保護主義的な公約を掲げ、実際二〇一七年一月二三日、大統領に就任してすぐにＴＰＰから離脱して日本政府を唖然とさせたが、同友会は今こそ日本が率先して残る一一ヵ国でＴＰＰを発効させるべきだと提言し、あわせて日・ＥＵ間のＦＴＡと、ＡＳＥＡＮ側を前面に出す形でのＲＣＥＰ締結を求め、(115)同年末までに残りの一一ヵ国によるＴＰＰ11実現にこぎ着けた。

さらに、当初対中国宥和政策を採っていたトランプ政権が二〇一九年にその姿勢を転換させると、奇妙なことに、日本、ASEANは両者の間を取り持つ位置に立つこととなった。

この結果、ジョー・バイデンが二〇二〇年一一月の大統領選に当選し、対中国政策が不透明な中、中国政府はRCEPに加盟するとともに、TPP11への参加すら表明するに至った。

日本財界は、いわば漁夫の利を得るかのように、望んで止まなかった日中韓を含む地域連携協定を手にしたのであった。

6 おわりに——ナショナリズムと財界

見てきたように、新自由主義的グローバリズムの対象をアジアに求めた日本は、歴史問題を抱えているだけに、政治、民間レベルの双方で多大な努力を伴いながら関係構築に努めざるを得なかった。さらに、新自由主義的グローバリズムが各国で排外主義やナショナリズムを引き起こし、さらにはポピュリズム政治の台頭を許すなど、国民国家の側からの反動にも際会してきた。

そしてそれは新自由主義的グローバリズムが危機に陥った際、国家に頼らなければならなかったという矛盾、そして経済連携協定を結んでいく際にこれまた国家に頼らなければならなかったという矛盾に起因している。

しかしそれは逆説的に、平和と民主主義が実は新自由主義的グローバリズム存続の条件であるということを意味しているように筆者には思われる。

かつて同友会の終身幹事だった品川正治は、政治学者・憲法学者の渡辺治との対談で、中国やアジアの諸国が戦後のかなり早い段階で日本商品の購入や日本企業、国民の往来を認めてきた背景に憲法九条に対する信頼があったのではないかという説に同意している。[116] 福田ドクトリンも、[117] そしてその後の河野談話なども実は日本の新自由主義的グローバリズムに不可欠のものだったかもしれない。

こうした矛盾ないし転倒した現実を克服し、新自由主義的グローバリズムに代わる真の、対等な関係に基づくグローバリズムの構想と構築が求められている。

本章の内容は、二〇二一年五月までを対象としている。

注

(1) スティグリッツが言うように、グローバリゼーションそれ自体は善でも悪でもない。ジョセフ・E・スティグリッツ(鈴木主税訳)『世界を不幸にしたグローバリズムの正体』徳間書店、二〇〇二年、四二頁。国際間、あるいは国内の格差を利用して富の増進を図り、結果的に経済成長の偏奇、換言すれば格差の拡大を伴う経済成長を伴うグローバリゼーションを、ここでは新自由主義的グローバリゼーションと呼ぶこととする。

(2) D・ハーヴェイ(渡辺治、森田成也、木下ちがや、大屋定晴、中村好孝訳)『新自由主義――その歴史的展開と現在』作品社、二〇〇七年、第五章を参照。

(3) 拙著『日本型新自由主義とは何か』岩波書店、二〇一六年を参照。なお、この三段階論は筆者独自の見解であって、歴史学や政治学の世界で一般視されているわけではない。この点について、「シンポジウム菊池信輝『日本型新自由主義とは何か』をめぐって」「年報日本現代史」編集委員会編『年報日本現代史〈第23号2018〉新自由主義の歴史的射程』現代史料出版、二〇一八年を参照のこと。

（4）汗牛充棟ただならぬものがあるが、さしあたり、IMF側の責を問うものとして、青木昌彦・寺西重郎編『転換期の東アジアと日本企業』東洋経済新報社、二〇〇〇年、前掲、スティグリッツ『世界を不幸にしたグローバリズムの正体』、清水一史「アジア経済危機とその後のASEAN・東アジア」和田春樹、後藤乾一、木畑洋一、山室信一、趙景達、中野聡、川島真編『岩波講座　東アジア近現代史　第一〇巻――和解と協力の未来へ　一九九〇年以降』岩波書店、二〇一一年所収等を参照。また、白井早由里は、アジア諸国側が内包していたクローニー・キャピタリズム問題との間でバランスの取れた議論を展開している。白井早由里『検証IMF経済政策』東洋経済新報社、一九九九年、同『メガバンク危機とIMF経済政策――ホットマネーにあぶり出された国際機関の欠陥と限界』角川書店、二〇〇二年を参照。

（5）田所昌幸「アジアにおける地域通貨協力の展開」添谷芳秀・田所昌幸編『現代東アジアと日本1　日本の東アジア構想』慶應義塾大学出版会、二〇〇四年所収、ジャグディッシュ・バグワティ「アジア経済危機――その教訓」前掲、青木・寺西編『転換期の東アジアと日本企業』所収などを参照。

（6）新自由主義化のアジア各国の動向については、藤田和子・文京洙編『新自由主義下のアジア』ミネルヴァ書房、二〇一六年、中谷義和・朱恩佑・張振江編『新自由主義的グローバリズム化と東アジア――連携と反発の動態分析』法律文化社、二〇一六年などを参照。

（7）とはいえ、資本規制を行いながら貿易を拡大していくというブレトンウッズ体制は最初から曖昧で不安定なものであり、浅井良夫によれば、いわば「過渡的」と呼ぶべきものであった。浅井良夫『ＩＭＦ８条国移行――貿易・為替自由化の政治経済史』日本経済評論社、二〇一五年、四～六頁を参照。

(8)財界が自らこの点に触れているものとして、日本経営史研究所編『経済団体連合会三十年史』経済団体連合会、一九七八年、五五四～五七〇頁。もっとも、経団連自らは当初から資本自由化に積極的であったと総括している。同誌、三三〇～三三四頁を参照。

(9)前掲、日本経営史研究所編『経済団体連合会三十年史』、五九～六一頁。

(10)小林英夫『日本人のアジア観の変遷――満鉄調査部から海外進出企業まで』勉誠出版、二〇一二年、八四～八九頁。

(11)前掲、日本経営史研究所編『経済団体連合会三十年史』、二三九頁。また、小林中「東南アジアをめぐって」『経団連月報』一九五七年一二月号所収を参照。

(12)前掲、日本経営史研究所編『経済団体連合会三十年史』、二三九頁。

(13)同書、二三五頁。

(14)同書、三五三～三五四頁。

(15)通商産業省通商産業政策史編纂委員会編『通商産業政策史　第六巻』通商産業調査会、一九九〇年、三三一～三三一頁、前掲、日本経営史研究所編『経済団体連合会三十年史』三五一～三五八頁。

(16)倉沢愛子「インドネシアの国家建設と日本の賠償」「年報日本現代史」編集委員会編『年報日本現代史〈第五号１９９９〉講和問題とアジア』現代史料出版、一九九九年、所収、六三～六五頁。

(17)佐藤晋「戦後日本の東南アジア政策（一九五五～一九五八年）」中村隆英・宮崎正康編『岸信介政権と高度成

長』東洋経済新報社、二〇〇三年所収、二四五～二五一頁。
(18)同書。
(19)同書、二四三～二四四頁。
(20)池田・佐藤内閣下の対外政策については、波多野澄雄編『池田・佐藤政権期の日本外交』ミネルヴァ書房、二〇〇四年、吉次公介「池田勇人――『自由主義陣営の有力な一員』を目指して」増田弘編『戦後日本首相の外交思想』ミネルヴァ書房、二〇一六年、佐藤内閣下の対外政策については中島琢磨「佐藤栄作――ナショナル・プライドと外交選択」同上所収、服部龍二『佐藤栄作――最長不倒政権への道』朝日新聞出版、二〇一七年などを参照。
(21)前掲、吉次「池田勇人」一六八～一七三頁。
(22)同書、一五七～一五八頁、高橋和宏「『南北問題』と東南アジア経済外交」前掲、波多編『池田・佐藤政権期の日本外交』所収、九六～一〇一頁。
(23)同書、高橋「『南北問題』と東南アジア経済外交」一〇八～一一三頁。
(24)ASEAN誕生の経緯については、佐藤孝一「ASEANの出発」和田春樹、後藤乾一、木畑洋一、山室信一、趙景達、中野聡、川島真編『岩波講座　東アジア近現代史　第八巻――ベトナム戦争の時代　一九六〇―一九七五年』岩波書店、二〇一一年所収、を参照。
(25)前掲、日本経営史研究所編『経済団体連合会三十年史』、四六五～四六六頁。
(26)前掲、服部『佐藤栄作』三二八～三三五頁。
(27)前掲、日本経営史研究所編『経済団体連合会三十年史』五七三～五七五頁、六〇三～六〇四頁。

(28)同書、七四〇～七四一頁。
(29)田口富久治編『ケインズ主義的福祉国家――先進六ヵ国の危機と再編』青木書店、一九八九年を参照。
(30)服部龍二『田中角栄――昭和の光と闇』講談社現代新書、二〇一六年、一九三～二一七頁、また、佐藤晋「田中東南アジア歴訪の意義――グローバリゼーション過程における東南アジアと日本」『国際政経論集（二松學舍大学）』第一五号、二〇〇九年三月所収、一一四～一一八頁。
(31)経済同友会編『経済同友会七十年史』経済同友会、二〇一六年、二三一～二三二頁。
(32)同誌、二三〇～二三一頁。
(33)前掲、服部『田中角栄』一九三～二一七頁。
(34)前掲、『経済同友会七十年史』二三一～二三四頁。
(35)朴泰俊「正道だけを歩んだ君子」稲山嘉寛回想録編集委員会『稲山嘉寛回想録』新日本製鉄株式会社、一九八八年、六八六～六八八頁。
(36)邱麗珍『日本の対中経済外交と稲山嘉寛――日中長期貿易取決めをめぐって』北海道出版会、二〇一〇年、一四一～一四四頁。
(37)前掲、『経済同友会七十年史』二三二頁。
(38)同書、二三四～二三五頁。
(39)同上。
(40)井上正也「福田赳夫――『連帯』の外交」前掲増田編『戦後日本首相の外交思想』所収、二六〇頁などを参照。
(41)前掲、『経済同友会七十年史』二三五～二三六頁。

(42)前掲、服部『田中角栄』一九四頁、新川敏光『田中角栄――同心円でいこう』ミネルヴァ書房、二〇一八年、一四一頁。
(43)前掲、『経済同友会七十年史』二四〇～二四一頁。
(44)大来の構想については、大来佐武郎、小島清編『アジア太平洋協力への展望』日本国際問題研究所、一九七一年などを参照。
(45)福永文夫「大平正芳――『平和国家』日本の創造」前掲、増田弘編『戦後日本首相の外交思想』所収、二八六～二八八頁、内閣官房内閣審議室分室・内閣総理大臣補佐官室編『環太平洋連帯の構想――環太平洋連帯研究グループ（大平総理の政策研究会報告書四）』大蔵省印刷局、一九八〇年を参照。
(46)川内一誠『大平政権・五五四日――自らの生命を賭けて保守政治を守った』行政問題研究所、一九八二年、二四四～二五〇頁。
(47)前掲、拙著『日本型新自由主義とは何か』一一一～一一九頁。
(48)同書、一四〇～一四二頁。
(49)同書、一〇〇～一一一頁。
(50)中光栄「新自由主義的転換と社会的危機――経済の自由化、通貨危機、そして二極化を超えて」前掲、中谷・朱・張編『新自由主義的グローバリズム化と東アジア』所収四二～四七頁を参照。
(51)前掲、清水「アジア経済危機とその後のＡＳＥＡＮ・東アジア」和田、後藤、木畑、山室、趙、中野、川島編『岩波講座　東アジア近現代史　第一〇巻』所収、一八一～一八三頁。
(52)前掲、拙著『日本型新自由主義とは何か』一二五～一三四頁。

(53) 横橋正利・時子山真紀・下田充「中国とアメリカ・東アジア・ＡＳＥＡＮの貿易構造」岡本信広・桑森啓・猪俣哲史編『中国経済の勃興とアジアの産業再編』日本貿易振興機構アジア経済研究所、二〇〇七年所収を参照。

(54) 世界銀行海外経済協力基金「東アジアの奇跡——海外経済協力基金／世界銀行共催シンポジウム議事録」海外経済協力基金、一九九四年。同報告書に日本の意向が加味されていたであろうことについて、前掲スティグリッツ『世界を不幸にしたグローバリズムの正体』一三七～一三八頁。

(55) Krugman, Paul, "The Myth of Asia's Miracle," Foreign Affairs, 73:6 (1994:Nov./Dec.)

(56) 経済同友会『平成二年度企業白書——新段階のグローバル経営：内と外とのグローバリゼーション』一九九一年三月、また前掲、拙著『日本型新自由主義とは何か』一四〇頁。

(57) 同書、一四八～一五〇頁。

(58) 中谷厳・大田弘子『経済改革のビジョン——「平岩レポート」を超えて』東洋経済新報社、一九九四年。また、同時期の財界の提言として、経済団体連合会アジア委員会「ＡＳＥＡＮとの協力のあり方について」一九九二年一〇月二二日、経済団体連合会「アジア太平洋地域の域内協力のあり方に関する基本的考え——一九九四年ＡＰＥＣ閣僚会議・非公式首脳会議への提言」一九九四年一一月七日、経済団体連合会「太平洋地域における経済発展上の課題とわが国の役割——国際産業協力委員会太平洋部会報告書」一九九五年六月三〇日などを参照。

(59) 前掲、『経済同友会七十年史』四四四～四四五頁。

(60) 前掲、スティグリッツ『世界を不幸にしたグローバリズムの正体』一四四～一四八頁。

(61)出井伸之、野村裕知「時流超流 ニッポンの外科手術(二) インタビュー出井伸之ソニーCEOに『骨太改革』を聞く」『日経ビジネス』1100号(二〇〇一年七月一六日)、四頁

(62)深尾京司「日経現地法人 アジアの通過・経済危機にいかに対応したか――マイクロ・データに基づく実証分析」前掲『転換期の東アジアと日本企業』二七三〜二七五頁。

(63)通商産業政策史編纂委員会・阿部武司編『通商産業政策史一九八〇―二〇〇〇 第二巻』(通称・貿易政策)通商産業調査会、二〇一三年、七一二〜七一六頁。なお、二〇二〇年一二月二三日の外交記録公開によって、一九八九年二月九日付のAPEC設置を提案するホーク豪首相から竹下登首相への書簡(ホーク書簡)に対し、当初外務省サイドは、経済ブロック化の動きにつながることは絶対に排除すべきこと、米国及びカナダを検討段階から加えること、などを内容とする返信を起草するなど、主として米国に配慮した慎重姿勢を見せ、MITI(通産省)へ不信感を持っていたことが明らかになった。アジア大洋州局大洋州課「ホーク書簡」「アジア太平洋協力一(APEC設立まで:含ホーク構想)」一九九八年一〇月一日〜一九八九年四月三〇日、2020－0558、外務省外交史料館(https://www.mofa.go.jp/mofaj/annai/honsho/shiryo/shozo/pdfs/2020/0558_04.pdf。二〇二〇年四月三〇日閲覧)

(64)前掲、『通商産業政策史一九八〇―二〇〇〇 第二巻』七一六〜七二三頁。

(65)同書、七二〇〜七二二頁、また、宗像直子「日本のFTA戦略」前掲、添谷・田所編『現代東アジアと日本1』所収、一四一〜一四二頁。

(66)前掲、『経済同友会七十年史』三七二〜三七三頁、また前掲、宗像「日本のFTA戦略」前掲、添谷・田所編『現代東アジアと日本1』所収一四二〜一四四頁。

(67)アジア通貨危機発生のメカニズムについては、谷川浩也「アジア通貨・経済危機の要因と政策課題」前掲、青木・寺西編『転換期の東アジアと日本企業』所収を参照。
(68)河村晃一「スハルト体制の崩壊とインドネシア政治の変容」前掲、和田、後藤、木畑、山室、趙、中野、川島編『岩波講座　東アジア近現代史　第一〇巻』所収を参照。
(69)前掲、中「新自由主義的転換と社会的危機」四七～五九頁。
(70)前掲、田所「アジアにおける地域通貨構想の展開」一二一頁。
(71)前掲、清水「アジア経済危機とその後のＡＳＥＡＮ・東アジア」一八七～一八八頁。
(72)前掲、田所「アジアにおける地域通貨構想の展開」一一六～一一七頁。
(73)前掲、『経済同友会七十年史』三九三頁。
(74)前掲、スティグリッツ『世界を不幸にしたグローバリズムの正体』一六六～一六七頁。
(75)同書、一六七～一六八頁。
(76)同書、また前掲、田所「アジアにおける地域通貨構想の展開」一一七～一二二頁。
(77)同書。
(78)「奥田会長基調講演（要旨）ＩＴを推進、成長と雇用の拡大図る／求められる経営者の社会的責任」『日経連タイムス』二〇〇〇年八月一〇日付
(79)経済同友会代表幹事小林陽太郎「『市場主義宣言』を超えて――四つのガバナンス確立を」一九九九年四月二二日（https://www.doyukai.or.jp/chairmansmsg/statement/1999/pdf/990422a.pdf）
(80)倉重篤郎『小泉政権一九八〇日　上』行研、二〇一三年、一三三～一四八頁。

(81)日本経済団体連合会『活力と魅力溢れる日本をめざして』日本経団連出版、二〇〇三年
(82)同書、八三～八九頁。
(83)同書、九六～九七頁。
(84)前掲、『経済同友会七十年史』五八二頁。
(85)早瀬晋三『グローバル化する靖国問題』岩波書店、二〇一八年、第二章を参照。
(86)拙著『財界とは何か』平凡社、二〇〇五年、二六～二八頁。
(87)経済同友会二〇〇五年度中国委員会「今後の日中関係への提言――日中両国政府へのメッセージ」二〇〇五年四月九日。
(88)第二革命後のフランスにおけるボナパルティズムについてのマルクスの秀逸な分析を見よ。カール・マルクス著、植村邦彦訳『ルイ・ボナパルトのブリュメール一八日』平凡社、二〇〇八年。
(89)経済同友会『憲法問題調査会意見書――自立した個人、自立した国たるために』二〇〇三年四月二一日、日本経済団体連合会「わが国の基本問題を考える――これからの日本を展望して」二〇〇五年一月、日本商工会議所「憲法問題に関する懇談会報告書――憲法改正についての意見」二〇〇五年六月一六日。
(90)日本取引所グループ「投資部門別売買状況」(https://www.jpx.co.jp/markets/statistics-equities/investor-type/index.html)を参照。
(91)日本経済団体連合会『希望の国、日本』日本経団連出版、二〇〇七年、四五～五一頁。
(92)同書、七九～八三頁。
(93)「新成長戦略――「『元気な日本』復活のシナリオ」二〇一〇年六月一八日閣議決定(https://www.kantei.go.jp/

jp/sinseichousenryaku/sinseichou01.pdf)

(94) 日本経済団体連合会会長米倉弘昌、日本商工会議所会頭岡村正、公益社団法人経済同友会代表幹事桜井正光「TPP（環太平洋経済連携協定）交渉への早期参加を求める」二〇一一年一月一日（https://www.keidanren.or.jp/policy/2010/101.html）。

(95) 経済同友会「二〇二〇年の日本創成――若者が輝き、世界が期待する国へ」二〇一一年一月一一日（https://www.doyukai.or.jp/policyproposals/articles/2010/110111a.html）

(96) 日本経済団体連合会「アジアにおけるインフラ・プロジェクト推進に向けて――東アジア・サミットに向けたメッセージ」二〇一〇年一〇月一九日（http://www.keidanren.or.jp/policy/2010/091.html）、同「国際貢献の視点から、官民一体で海外インフラ整備の推進を求める」二〇一〇年一〇月一九日（http://www.keidanren.or.jp/policy/2010/090.html）

(97) 「浜岡原発、全停止へ 中部電力、菅首相の要請受け入れ 防潮堤新設まで」『朝日新聞』二〇一一年五月七日付朝刊。

(98) 「東北アピール」『経済同友』二〇一一年八月号所収を参照。

(99) 日本商工会議所「『東日本大震災』の復旧・復興に関する第三次要望」、日本経済団体連合会「エネルギー政策に関する第一次提言」二〇一一年七月一四日。

(100) 日本経済団体連合会「TPP交渉参加表明に関する米倉会長コメント」二〇一一年一一月一一日（http://www.keidanren.or.jp/speech/comment/2011/1111.html）、経済同友会長谷川閑史代表幹事「野田首相によるTPP交渉参加に向けた決断を歓迎する」二〇一一年一一月一一日（https://www.doyukai.or.jp/chairmansmsg/

comment/2011/11111a.html)、日本商工会議所『会議所ニュース』一一月二一日付。

（101）日本経済団体連合会「国民生活の安心基盤の確立に向けた提言」二〇一一年三月一一日などを参照。

（102）「社会保障・税一体改革に関する政府と野党自民党・公明党との三党合意」二〇一二年六月一五日、首相官邸ホームページ「事務局説明資料」二〇一二年一一月三〇日所収（https://www.kantei.go.jp/jp/singi/kokuminkaigi/dai1/siryou3.pdf）。

（103）この事件がＡＳＥＡＮ諸国に与えた影響について前掲、早瀬『グローバル化する靖国問題』第三章、一二〇～一五四頁を参照。

（104）穆尭芊、徐一睿、岡本信広『「一帯一路」経済政策論プラットフォームとしての実像を読み解く（ＥＲＩＮＡ北東アジア研究叢書）』日本評論社、二〇一九年を参照。

（105）前掲、早瀬『グローバル化する靖国問題』一六五～一七六頁を参照。

（106）前掲、『経済同友会七十年史』七七六頁。

（107）経済同友会「第三九回日本・ＡＳＥＡＮ経営者会議報告書」二〇一三年一〇月二三日～二五日（北九州市・福岡市）二〇一四年一月（No.２０１３－３３）。

（108）経済同友会「第四〇回日本・ＡＳＥＡＮ経営者会議報告書」二〇一四年一〇月二二日～二四日（フィリピン・マニラ）二〇一四年一二月（No.２０１４－３１）。

（109）経済同友会「第四一回日本・ＡＳＥＡＮ経営者会議報告書『日本とＡＳＥＡＮ：次の五〇年に向けて』」二〇一五年一〇月一一日～一三日（シンガポール）二〇一五年一一月（No.２０１５－２０１６）、九～一一頁を参照。

(110) 日本経済団体連合会「成長戦略の実行と財政再建の断行を求める——現下の危機からの脱却を目指して」二〇一二年五月一五日（https://www.keidanren.or.jp/policy/2012/030_honbun.pdf）、五頁。
(111) 「経済前面「新三本の矢」　首相会見、ＧＤＰ六〇〇兆円目標」『朝日新聞』二〇一五年九月二五日付朝刊。
(112) 日本経済団体連合会『「豊かで活力のある日本」の再生』経団連出版、二〇一五年一月一日、五〇～五四頁を参照。
(113) 経済同友会小林喜光代表幹事「ＴＰＰ協定交渉の大筋合意を受けて」二〇一五年一〇月五日（https://www.doyukai.or.jp/chairmansmsg/comment/2015/151005a.html）、日本経済団体連合会「ＴＰＰ大筋合意に関する榊原会長コメント」二〇一五年一〇月五日（https://www.keidanren.or.jp/speech/comment/2015/1005.html）
(114) 日本経済団体連合会「日中韓ＦＴＡならびに東アジア包括的経済連携（ＲＯＥＰ）交渉に関する要望」二〇一六年五月一七日（https://www.keidanren.or.jp/policy/2016/036_honbun.html）
(115) 経済同友会「多国間自由貿易体制の前進に向け、今こそ日本のリーダーシップを——ＴＰＰ、日・ＥＵ ＥＰＡ、ＲＣＥＰの今後の方向性に係る考え方」二〇一七年六月二七日（https://www.doyukai.or.jp/policyproposals/articles/2017/170627a.html）
(116) 品川正治『品川正治対談集　立ち位置変えず』新日本出版社、二〇一〇年、一二七～一二八頁。
(117) 前掲、佐藤「田中東南アジア歴訪の意義」一一八～一二二頁。

第4章 沖縄から見えるアジア、見えないアジア

二〇一八年一〇月、新しく沖縄県知事に就任した玉城デニー氏は、その所信表明のスピーチ(『沖縄タイムス』二〇一八年一〇月一六日)の中で、「誇りある豊かさ」の実現に向けた三つの視点の第一に「新時代沖縄の到来」を挙げた。そこでは、「沖縄の地理的優位性を生かし、アジアの活力を取り込み」、「アジアのダイナミズムに乗って、沖縄の可能性を高く引き出し」と沖縄の未来をアジアとの関係の中で築いていく方向性が示されている。

こうした展望は、二〇一〇年、当時の仲井眞弘多知事のもとで策定された「沖縄二一世紀ビジョン」の基本構想の中にも見てとることができる。例えば、その基本理念として、「アジアの十字路に位置する沖縄は、古くから交流を国家経営の重要な手だてとしてきた。未来においても交流の意義が失われることはない」、「我が国の平和の創造に貢献するため、アジア・太平洋諸国等との信頼関係の醸成

の場として、文化、環境対策など多様な安全保障を創造していく場として、地域特性を発揮していく」と述べられている（沖縄県 2010）。

この二一世紀ビジョンの策定に当たって、県民アンケートや市町村ワークショップ、県内高校生作文コンクール等を実施して、各地域・各層の県民からの意見・提言を可能な限り反映させたという点が画期的だ。二〇一七年の翁長雄志知事のもとでの改定においても、上記の展望は引き継がれているが、それは、こうした方向性が県民に共通の現状認識・歴史認識に根ざしているからだ、と言うことができる。

「沖縄から日本がよく見える」という言い回しは、日本人が無意識でいる日本の一面が沖縄からはよく見える、と言う意味で使われる。「沖縄から見えるアジア」というのは、同じような意味で「沖縄からアジアがよく見える」と言う意味ではない。むしろ、日本の他の地域とは違った仕方で、沖縄から見えているアジアがあるのではないか、というぐらいの意味である。

この章では、まず県民に共通の現状認識である「アジアのダイナミズム」と共通の歴史認識である「アジアの十字路」に位置する沖縄から見えてくるアジアとの関わりに触れる。続く二つの節では、やはり県民に共通の歴史の記憶である日本への併合・米国の占領との関わりで、日本を通して見えてくるアジア、米国を通して見えてくるアジアを検討する。

その上で、第四節では、「アジア・太平洋諸国等との信頼関係の醸成の場」の一つの形として、重層的ネットワークによる協調的安全保障について考察し、最後に、「多様な安全保障を創造していく場」を念頭において、「沖縄から見えるアジア」だけではなく、「見えないアジア」についても検討することになる。

1　アジアの十字路としての沖縄

首里城の中に「首里城正殿の鐘」が置かれている。別名「万国津梁の鐘」と呼ばれているこの銅鐘には、「琉球国は明国と日本の中間にあって、地の利のよい位置を占め、船舶を万国への架橋として、交易によって朝鮮のすぐれた文物をはじめ万国の宝物を獲得し、多くの寺社仏閣を財宝で充満させている極楽島である」と記されている（西里 1986: 163）。その全文は、沖縄県知事の応接室の屏風に書かれており、二〇〇〇年に開催された沖縄サミットの会議場も、ここから名前をとり、万国津梁館と呼ばれた。[1]

アジアの十字路に位置し、貿易で島を繁栄させ、国々の間の架け橋となった、という自己イメージは、一五～一六世紀のこうした歴史の記憶とともに沖縄県民に広く受け入れられており、「沖縄二一世紀ビジョン」の中でもこの言葉が何度か使われている。二一世紀ビジョンの五つの推進戦略の一つ「世界に開かれた交流と共生の島」推進戦略の中に、「沖縄の人々は、琉球王国の時代から、日本、中国、東南アジアの架け橋として栄えており、『万国津梁』の精神で、中継貿易を通じて東アジアの中心として『平和的共存共栄の世界』を実現してきた」とあるのが、その例である。

こうした自己イメージについて、比嘉政夫（1986: 182）は、その二面性を指摘した以下のような醒めた見解を記している。「沖縄の人が自らの国際性を強調しようとしてこの思想を語るとき、それは祖先がかつて東・南支那海を跨ぎ『大交易時代』の主役を担っていたことへのノスタルジックなあこがれを込めた自負と、辺境に住む者のひけめとが入り混じった思いがにじみ出ているように感じられる。」

現在、「自負」の部分が大きく肯定されているとしたら、それは二一世紀ビジョンが指摘している、沖縄の明るい将来像を示す以下のような具体的な展開とその背景にあるアジアのダイナミズムそのものによるのだろう。

まず、二〇一五年以降の県内総生産が年三・三％〜三・九％の間で順調に推移し、逆にこれまで高止まりしていた完全失業率が四・八％から三・四％へと減少する見通しで、沖縄経済の見通しが明るいことが挙げられる（沖縄県企画部 2018）。特に、第三次産業の増加率は三・四％〜四・六％の間で推移しており、中でも観光業に注目が集まっている。[2]

例えば、二〇一七年の入域観光客数が、同年のハワイの観光客数九三八万人を初めて上回り、過去最高の九三九万人に達したことが大きく報じられた（『日本経済新聞』二〇一八年二月二日）。その後、確定値ではハワイに軍配が上がったが、沖縄がハワイと肩を並べる入域観光客数を維持していることにかわりはない。国内客、外国客ともに過去最高を五年連続更新しており、国内客は六八八万七〇〇〇人で、前年度比三・七％増だが、一方、外国客は二六九万二〇〇〇人で、前年度比二六・四％増と顕著な伸びを示している[3]（『沖縄タイムス』二〇一八年四月二八日）。

図1　入域観光客数と観光収入の推移

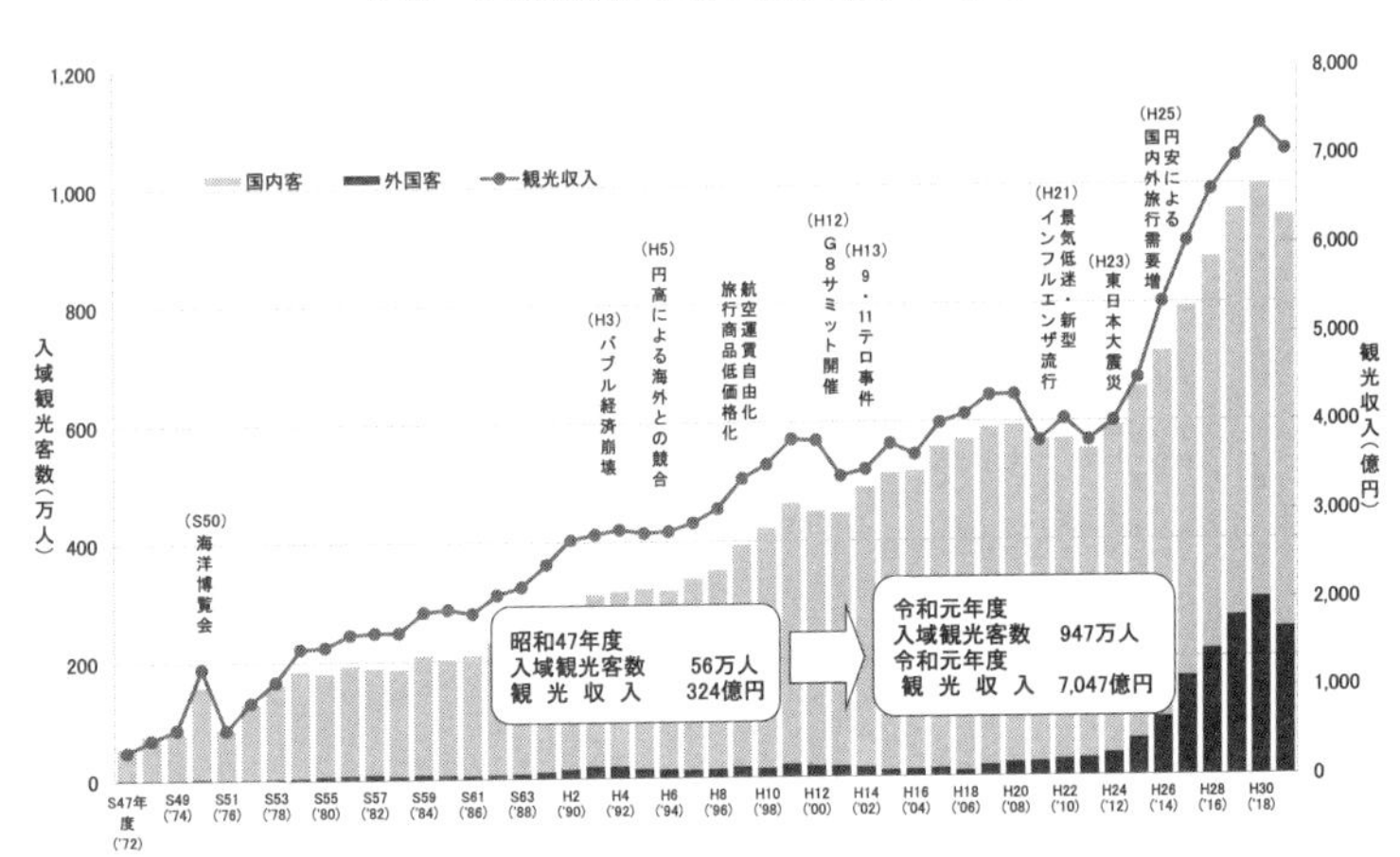

(出典) 沖縄県『観光要覧』2020年。
(1) 出所：観光客数は沖縄県「入域観光客統計」、観光収入は沖縄県「観光統計実態調査」。
(2) 観光収入は、平成17年度までは暦年の数値、平成18年度以降から年度の数値となっている。
(3) 外国客には、特例上陸者を含む。

外国人観光客の増加は、航空路線の拡充や海外からのクルーズ船の寄港回数が増加したことなどが要因で、外国人客のうち空路客は一八・八％増、海路客は四二・一％増、とクルーズ船を利用した観光客の増加は目を見張るものがある（『沖縄タイムス』二〇一八年四月二六日）。

クルーズ船については、那覇港への寄港回数が、二〇一七年に二二四回となり、過去最高を更新した。寄港回数は前年比一六・一％増で、二〇一二年の六七回から五年間で四・三倍に増えたことになる（『琉球新報』二〇一八年一月一一日）。台湾、中国からの観光客が中心で、二〇一八年は二四三回で国内二位、二〇一九年には二六〇回で博多港を上回り全国最多となった

図2　入域観光客数（主要4ヵ国）の推移

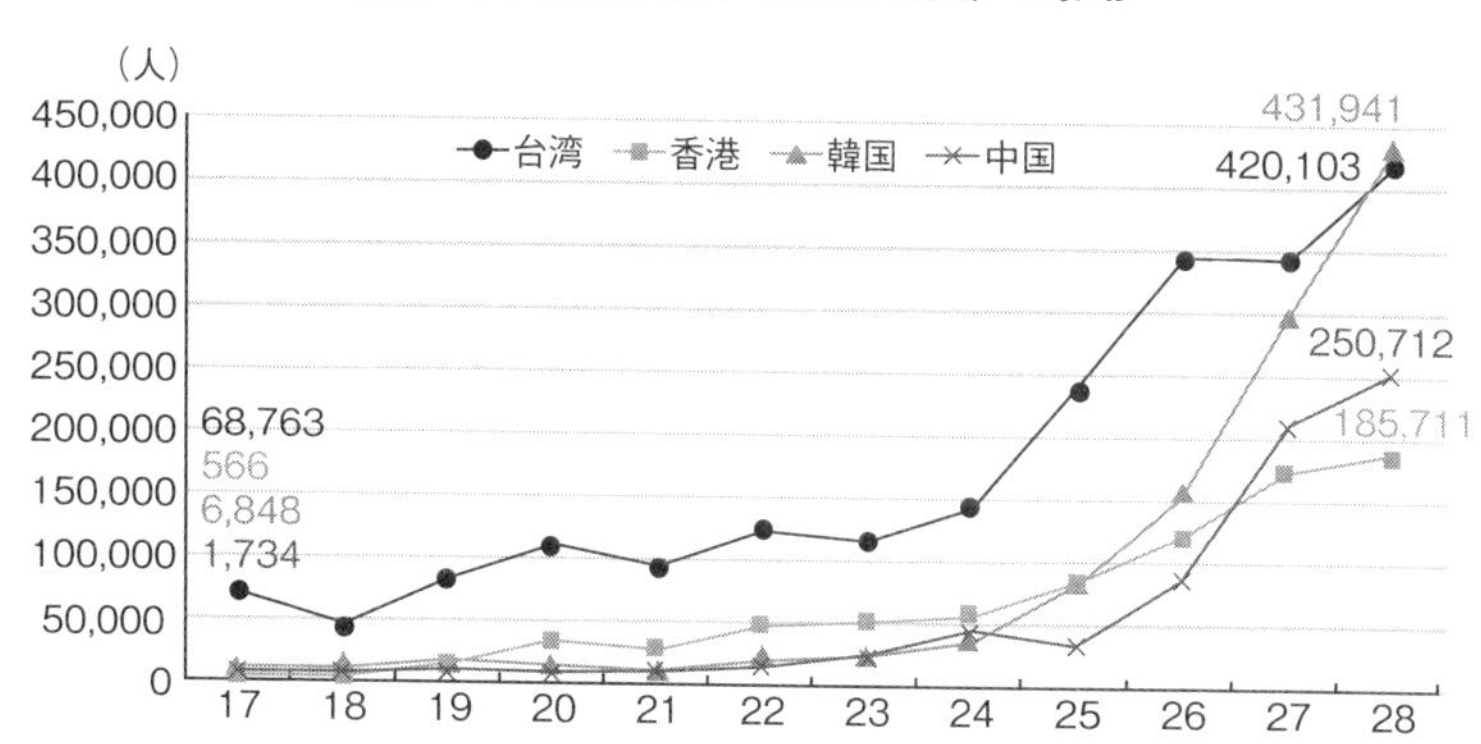

（出典）資料：沖縄県観光政策課「平成28年版観光要覧」沖縄県企画部統計課、2018年。

(1)「その他（無国籍）」とは、アフリカ、南アメリカ、無国籍の者。

(2)「中国（その他）」とは、中国国籍を有する者で、中国及び香港を除く政府（例えば、シンガポール、マレーシア等）が発給した身分証明書等を所持する者。

(3)「特例上陸者」は含まない。

(4)「協定該当者」（「日本国における合衆国軍隊の地位に関する協定」及び「日本国における国際連合の軍隊の地位に関する協定」による軍人、軍属及びその家族で、軍艦又は軍用機によらないで本邦に入国した者）は含まない。

が、新型コロナの影響で二〇二〇年四月から一二月末まで実績がなかった（『沖縄タイムス』二〇二一年一月二六日）。

この外国人観光客の多くがアジアからの観光客であることも特徴的だ。内訳は台湾が三〇・二%で最多。二位、中国、二〇・三%、三位、韓国、二〇・二%、四位、香港、九・六%と続いている（『沖縄タイムス』二〇一八年四月二六日）。アジアからは、他に、シンガポール、タイ、マレーシア、フィリピンからの入域者があり、アジアからの観光客が九割を占めている。

拡充した航空路線について見ておくと、現在、定期便で結ばれているアジアの都市は、以下の一四都市にまで拡大した。中国五都市（上海、北京、天津、杭州、南京）、韓国三都市（仁川、釜山、大邱）、台湾三都市（台北、台中、高雄）、香港、バンコク、シンガポール。今後、沖縄を日本国内や東アジアの周遊拠点に位置付け、貨物で先行するハブ化を旅客でも実現して、アジアの玄関口になることを狙っている。

二〇一七年、那覇空港とシンガポール・チャンギ国際空港との定期直行便の就航記念式典に参加するために来県したルイ・タックユー駐日シンガポール大使は、「調査で、新しい旅行先として沖縄が一番の人気だった。路線開通はマレーシアやインドネシアにとっても便利になる」とリゾート地として沖縄の認知度が高まっていることを紹介したという（『琉球新報』二〇一七年一一月一七日）。

以上みてきた最近の沖縄経済の動向の故に、「沖縄の明るい将来像」が県民の共感を集めているわけだが、一方で、それは、近年成長を続けている「アジアのダイナミズム」を背景とし、その成長の輪の中に沖縄も加わっていくという可能性が見えているからでもあるだろう。

念のため確認しておくなら、二〇一〇年代に入ってからもアジア地域の経済成長は世界経済を牽引している。国連の国民経済計算データベースによれば、GDP成長率の世界平均が二・四%〜四・二%で推移しているのに対し、アジア地域の、そして東アジア地域のそれは一貫して五%前後で推移を続けている。COVID－19の感染拡大で二〇二〇年のGDP成長率はマイナス成長となったが、IMFの「世界経済見通し」では、二〇二一年〜二二年には世界の他の地域と同様に回復が期待され、アジアの新興市場国と発展途上国の成長が世界平均を引き上げている（国際通貨基金2021）。

さて、「万国津梁」「アジアの十字路」と言うとき、観光以外にも、貿易や人の移動についてみておく必要がある。

まず、貿易について、二〇一七年の輸出上位一〇ヵ国を見ると、そのほとんどがアジアの国であることが確認できる。一位韓国一〇六億円、二位フィリピン四五億円、三位台湾三七億円と続き、他にも香港、中国、ベトナム、タイ、シンガポールが続いている。また、輸入でも、上位一〇ヵ国のうち六カ国がアジアの国である。四位韓国二〇六億円、六位中国一八三億円、七位インドネシア一一七億円、八位タイ四七億円、九位台湾四三億円、一〇位ベトナム三〇億円となっている（沖縄県商工労働部アジア経済戦略課 2019）。

沖縄の国際航空路線のネットワークは、国際貨物についても拡大傾向にある。二〇〇九年一〇月、那覇空港を物流ハブとして、羽田、成田、関西の国内三空港と、ソウル，上海，香港、台北、バンコクのアジアの五つの空港とを結ぶ貨物便の運航が始まったが，その後、国内では中部空港、アジアでは青島，広州、シンガポールを加えた一二の空港を結ぶ国際物流経路へと拡大した。那覇空港を経由する国際貨物の取扱量についても、東京、関西に次ぐ第三の規模に達している（若林 2016）。

沖縄県内に在留している外国人は、二〇一九年末には二万一二二〇人で県人口の一・四六％と、他府県と比較して、その割合が特に多いわけではない。しかし、その伸び率は目を見張るものがあり、二〇一五年から連続して前年比一〇％を越える伸びを示している。二〇一九年の増加率は前年比一七・七％と全国で宮崎県（一八・六％）に次いで二番目に高い伸びとなった。国籍・地域別では、ベトナムが三〇二三人（一四・二％）で最も多く、二〇一八年末に米国（米軍関係を除く）を初めて抜いてトップになった中国の二八五二人（一三・四％）を上回った。以下、ネパール（一三・二％）、米国（一二・三％）、フィリピン（一一・一％）、韓国（七・一％）、台湾（五・四％）の順になって

図3　在留外国人の総数と主な国籍・地域別在留外国人の推移

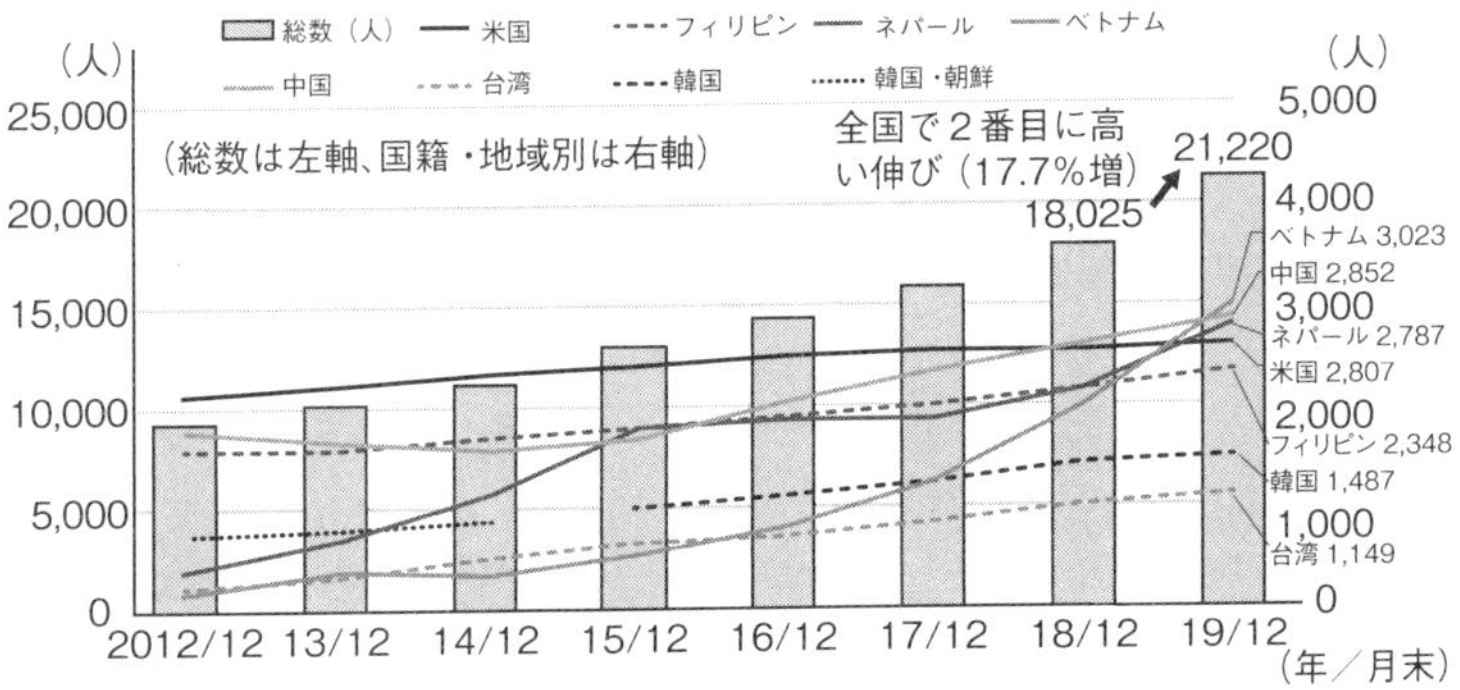

（備考）韓国と朝鮮は2014年末までは合計した数字。米国には米軍関係を含まない。
（資料）出入国在留管理庁「在留外国人統計」
（出典）南西地域産業活性化センター、2020年。

いる（南西地域産業活性化センター 2020）。

沖縄から海外への移民について、特徴的なことは、その数の多さだ。一九五二年から一九九三年までの約四〇年間の日本からの移住者数は全国で七万三〇三五人だが、その内七二二七人（約一〇%）が沖縄からの移住で、これは第二位東京の八・二%、第三位福岡の六・二%を越えて、第一位となっている。ただし、移住先はブラジル、アルゼンチン、ボリビアなど南米がほとんどで、アジアは顔を出さない。

戦前においても、沖縄から海外への移民数は多かった。初めての移民は、一八九九年、ハワイへの二七名。その後、一九三八年までの約四〇年間で七万二一三四人が沖縄から海外へ渡ったが、当時の県の人口との比率を見ると、約一二%となっている。一〇人に一人以上の海外への移住者がいた計算になるが、その行き先は第一位が一万九五〇七人のハワイ、第二位が一万六四二六人のフィリピン、第三位が一万四八二九人のブラジルとなっており、戦後とは異なり、アジアへの移民が五分の一以上を占めている（沖縄県企画部統計課 2016）。

一八七九年に琉球が日本に併合された後、日本は台湾、朝鮮半島、中国東北部、南洋群島に植民地を拡げ、一五年戦争の中で、中国大陸だけでなく、フィリピン、インドシナ、マレーへと軍事占領を拡げていった。日本や欧米の植民地経験を持つ東アジア・東南アジアの国々こそが、「沖縄二一世紀ビジョン」の中で、沖縄がそのダイナミズムに乗り、関係を築いていこうとしているアジアである。

日本に併合されて、その辺境となった沖縄の、「辺境に住む者のひけめ」としてでなく、共通の経験を持つ国の人びととの信頼関係を構築していくことが、この地域における人間の安全保障や協調的な安全保障の創造に繋がっているのだという自信と決意を「万国津梁」の自己イメージの中に読み込むことができるのではないか。

そう結論づける前に、以下二つの節では、県民に共通の歴史の記憶である日本への併合・米国の占領との関わりで、沖縄から、日本を通して見えてくるアジア、米国を通して見えてくるアジアを検討する。

2　日本・沖縄・アジア

「万国津梁の鐘」に象徴される、一五～一六世紀の「大交易時代」の黄金期は、明が衰え，海禁政策が緩み、中国の商船に加えて、日本商船や既にアジアに到達していたポルトガル・スペインを交えての東南アジアでの交易競争の中で、終わりを遂げていった。

一六〇九年の薩摩入り、島津氏による琉球侵略以降、琉球王国は明国との冊封関係を続けられるように維持され、薩摩はその貿易の利益を収奪した。新たに即位した琉球の王は中国風の装いで江戸の将軍に使節を送る一方、薩摩藩に税を納めていた。ガバン・マコーマックと乗松聡子（2013: 3）は、この時期の琉球を「劇場的要素を持つ国家」と呼んでいるが、そうした演出によって琉球が日本の植民地であることを隠す意図で強制された劇場であったと言う意味である。

一八七九年の琉球併合により、呼び名は沖縄県と改められ、沖縄は日本の国内植民地[4]となった。統治の効率のため一時は旧慣温存政策が採られたが、その後、同化政策が採られ「非文明」的な島民は「真の日本人」としての言語、宗教、文化を身につけるよう教育が施されていった（Uemura 2003）。

多くの植民地で見られるように、沖縄においても、宗主国の統治政策に対して、A・O・ハーシュマン（2005）の「離脱、抗議、忠誠」の選択肢が採用されてきたことが見て取れる。そして、それはアジアとの関係では、支配され差別される、あるいは、それに抗議し独立を目指す「同胞としてのアジア」と、差別から解放されることを希求して、「真の日本人」と一体化した目線を自らのものとし、アジアを進歩・後進の二項対立の中の後進の側に位置づける「他者としてのアジア」という二つのアジア像と絡み合っている。

例えば、一九〇三年に大阪で開催された第五回内国勧業博覧会における「人類館事件」は、こうしたアジア像と沖縄の自己像との関係を照らし出している。「学術人類館」というパビリオンには、内地人に近い「七種の土人」として、「朝鮮」、北海道の「アイヌ」、台湾の「生蕃」、「印度」、「爪哇（ジャワ）」などと並んで、「琉球人」が「展示」された。当初、「支那」の展示も予定されていたが、清国の事前の抗議により取り消されていた（うえち2005）。

『琉球新報』は「同胞に対する侮辱」との社説（一九〇三年四月七日）を発表し、抗議のキャンペーンを張った。曰く、茅葺きの小屋に藁を敷いてコバの葉の団扇を持たせるなど沖縄をアイヌや生蕃と同列に扱っている。曰く、支那人は公使からの抗議で中止となり、朝鮮も「隣国の体面を辱しむる」と撤回運動をしているくらいであり、外国に対して侮辱であるのに同胞に対して侮辱でない訳がない（演劇「人類館」上映を実現させたい会2005: 416-417）。

結果、四月三〇日には「琉球人」の「展示」は取下げられたが、うえちみわ（2005: 21）は、これは「立派な日本国民の一員である琉球人という自己認識にそぐわない沖縄のイメージ」が展示されていることに対する批判であり、それは「内地に対しては劣等感を持ち、その周辺民族に対しては自分たちの方が優等であるというイデオロギーを含んでいる（中略）それは日本の姿勢、つまり欧米には劣等感を持ち、他のアジア諸国に対しては優越感を抱いていた日本人の意識とも重なる」と看破している。

ところで、「支那人」の展示に対する反発は、日本に来ていた清国人留学生から大阪在住の華僑へと広がっていった。林（2005）や呂（2005）によれば、反対の理由は、展示された人びとが、植民地化され隷属された人々か、未開の人々であり、国勢は衰えたとは言え、中国人を彼らと同列に扱う侮辱には耐えられない、というものだった。進歩・後進、文明・野蛮の二項対立を、ここにも見てとることができる。

波平恒男（2014）が紹介している通り、比嘉春潮（1973: 295）は、一九一一年四月の日記に、日琉同祖論の伊波普猷の『琉球人種論』について、こう書いている。「先生の考えでは、今の琉球人は日本人と同化するのが幸福を得るの道である」と。比嘉の判断、伊波の判断の当否とは別に、波平（2014）は、日琉同祖論と日鮮同祖論との関連について、後者は主に日本の学者が唱え、日本による韓国併合と朝鮮統治を正当化する役割を果たしたのに対し、前者は本土出身日本人だけでなく、沖縄人自身によっても説かれ、その後も熱心に唱えられていったことを指摘している。

「同胞としてのアジア」と「他者としてのアジア」という二つのアジア像の交叉は、一九四五年の沖縄戦における「慰安婦」を巡っても起こっていた。洪玧伸（2016）は、宮古島で住民を「土人」「チャンコロ」と呼ばないで欲しいと、島の有力者達が日本兵のために学芸会を用意して、住民が「野蛮人」ではないことを知らしめようとしたことを紹介している。また、『古事記』や『万葉集』を引用し、本土と沖縄が同一民族であることを知ってもらおうと努めた国民学校教員にも言及している。

その上で、洪（2016）は、「朝鮮ピー」「台湾ピー」と呼ばれた「慰安婦」たちが日本軍に「携帯兵器」と呼ばれていたこと、軍と学校の合同演芸会で朝鮮語の「アリラン」を歌い、美しく舞った女性達は、それでも住民から「見られる」人々であったことを指摘し、依然として「他者」であったと論じている。

一方、洪（2016）は、「慰安婦」たちの服をミシンで直してあげたり、食料を与えたりした話や、親しみのあまり戦後自分の孫に「朝鮮ピー」の日本名を付けた話にも注目し、関係の変化を指摘している。宮古島での「慰安婦」についての証言を集めた『戦場の宮古島と「慰安所」』の中にも、沖縄人と同じく日本人に差別され、偏見の目で見られていた朝鮮人に対する「同胞」としての親しみの気持ちを見つけることができる（日韓共同「日本軍慰安所」宮古島調査団 2009）。

一九七二年の「本土復帰」により、沖縄にも日本国憲法が適用され、日米安保条約が適用されるようになった。しかし、「平和憲法」が適用されるようになってもなお、沖縄の米軍基地負担は改善されなかった。「反復帰」論の新川明は、二〇〇五年の『世界』で、「この六〇年は沖縄にとって何であったかというと、依然として『国内植民地』だったということである。」「日本国憲法の九条が成立する条件は、沖縄に基地があるから」だ。「九条を守ろうと平和運動をしている皆さんが、一方では、沖縄基地の上にあぐらをかいているという姿が私には見える」と述べている（新川 2005: 41-42）。マコーマックと乗松（2013: 7）は、「日米安保条約が実質的には憲法を超越する基本憲章として機能し、そのしわ寄せである基地負担はほとんど沖縄に課され、意思決定能力は東京とワシントンが握っていた」という。

復帰から四〇年以上が経った二〇一六年一〇月、沖縄県高江において大阪府警から派遣された機動隊員が米軍のヘリパッド建設に反対して抗議活動を行っている人に対し、「触るな、どこつかんでるんじゃボケ、土人が」と発言した記録が残っている。同日、別の機動隊員が抗議活動をしている市民に対し、「黙れ、こら、シナ人」と発言したことも判明している（『沖縄タイムス』二〇一六年一〇月二〇日）。これが特別な事例であるにしても、本土の日本人が沖縄の人々を侮蔑する意識で「未開の土着人」「（劣等な）中国人」と呼んでいる場面であり、本土出身日本人の「他者としてのアジア」像が、沖縄戦から七〇年の時を隔て、なお、沖縄にも適用されていることが確認できる。

二〇一七年五月のNHK世論調査によれば、「沖縄に米軍基地があること」について、復帰後生まれの四五歳未満の世代では、「必要だ」と「やむをえない」を合わせた回答が六五%で、「必要ない」と「かえって危険」を合わせた回答三〇%の倍を越えている。復帰前生れの世代の前者四二%、後者五三%という傾向と対照的だ（河野 2017）。

古関彰一と豊下楢彦（2018）は、沖縄の若い世代にとって、米軍基地がもたらす脅威よりも北朝鮮や中国の脅威の方が重要な関心であり、それに対応するためには沖縄に存在する米軍基地の「抑止力」が必要だと認識されているのではないか、と推測している。これを「脅威としてのアジア」と呼んでおこう。北朝鮮のミサイルと核に対する脅威認識については、その性質や程度についての議論はともかく、若い世代に限らず、一般的なものだとみて良いだろう。中国、韓国、台湾については、県の世論調査結果を見てみよう。

沖縄県の調査（沖縄県 2015）によれば、中国に対する親近感として、「親しみを感じる」「どちらかというと親しみを感じる」の合計が、八・六%であり、全国の数字（『外交に関する世論調査』）一四・七%より若干少ない。[5] 中国に対して良くない印象を持っている理由を尋ねたところ、「行動が自己中心的に見えるから」六六%、「尖閣諸島を巡り対立があるから」六〇%、「国際的なルールと異なる行動をするから」五八%、「歴史問題などで日本を批判するから」五一%、などが上位を占めた。繰り返される尖閣諸島における中国船の活動のニュースなど、「沖縄でも他の日本と同じように、『中国怖い』というマスメディアのなかの中国イメージをそのまま無批判に受容している場合」が多いというのが、若林千代（2016: 50）の見立てである。

では、台湾や韓国にたいしては、差別的な支配を経験した「同胞としてのアジア」像を見ることができるのかといえば、必ずしも、そうとは言えない。植民地支配の経験を共有し、歴史の中に受難の連鎖を読み取る「同胞としてのアジア」像は、辺野古での新基地建設に反対する運動や平和運動の中に見ることができるが、それが一般的な沖縄の人びとのイメージだとは言えない。

沖縄県の調査（沖縄県 2015）によれば、台湾に対する印象として、「良い印象を持っている」が一七・四%、「どちらかといえば良い印象を持っている」が六五・七%、合計八三・一%と大変高い数字が示されている。ただ、良い印象を持っている理由を尋ねたところ、「長い交流の歴史」五二%、「地理的な近さ」四三%、「文化面での共通性」四三%、などが上位を占めた。植民地としての歴史の共通性などは、「長い交流の歴史」の中に埋もれているのかもしれないが、表面には浮かび上がっていない。

韓国については、中国に対してと同様の傾向がみられ、韓国に対する親近感として、「親しみを感じる」三・四%、「どちらかというと親しみを感じる」一四・二%、合計が一七・六%であり、全国の数字（『外交に関する世論調査』）六・九%、二四・六%、合計三一・五%と比較して、やはり少ない。県の調査では理由を尋ねていないが、「慰安婦」など歴史問題での日本批判がまず思い浮かぶ。

沖縄から、日本を通して見えてくるアジアを、「同胞としてのアジア」「他者としてのアジア」「脅威としてのアジア」と呼んでよいなら、米国を通して見えてくるアジアにはどのような特徴があるだろうか。

3　アメリカ・沖縄・アジア

一九四六年一月、マッカーサー司令部は沖縄を本土から行政的に分離したが、帝国議会は前年、在日朝鮮人・台湾人とともに沖縄県民の選挙権を停止する選挙法の改正を行っている。古関・豊下（2018）は、これを、日米両政府が沖縄を旧植民地と同様の地位に追いやったと描いている。

連合国の軍事占領を米国による沖縄の分離軍事支配へと制度化したのは一九五一年九月にサンフランシスコ講和会議で調印された対日平和条約であった。対日平和条約は、翌年四月二八日に発効し、日本と連合国との間の戦争状態を終結させたが、日本国民が主権を回復したその日に、沖縄は日本から切り離され、米国の軍事植民地となった。

新崎盛暉（2016）は、米国の日本占領政策は、天皇制の利用（象徴天皇制）、日本の非武装化（平和憲法）、そして沖縄の分離軍事支配という「三点セット」を基本として出発し、その後の国際情勢の変化に伴って変化はあったものの、その基本的枠組は変わらなかったと言う。そして、この基本的枠組、つまり「構造的沖縄差別」は「対米従属的日米関係の矛盾を沖縄にしわ寄せすることによって、日米関係（日米同盟）を安定させる仕組み」（新崎 2016：i）であり、それは日本の主権回復後も、サンフランシスコ平和条約と日米安保条約によって引き継がれたと論じている。

軍事植民地としての沖縄においても、米国の統治政策に対して、ハーシュマン（2005）の「離脱、抗議、忠誠」の選択肢が採用されてきたことが見て取れる。「離脱」は復帰運動の形をとり、独立運動がマジョリティになることはなかった。「抗議」は、島ぐるみの土地闘争やコザ暴動のような形で表現され、「忠誠」は米国の統治を支える官僚などがそれにあたる。

だが、米国の沖縄統治は沖縄の人びとの米国への「同化」を追求したものではなく、むしろ日本との「異化」を強調するものであった。一九四六年以降、ＧＨＱや米国政府の公文書では、「沖縄」「沖縄県」でなく「琉球（Ryukyus）」「琉球諸島（Ryukyu Islands）」「琉球人（Ryukyuans）」の表記が用いられたが（古関・豊下 2018）、それは、琉球諸島を日本が武力で制圧した島々だと考え、琉球人を日本に支配された異民族であると認識していたからだと言える。

宮城悦二郎（1982: 39）は、「米軍は、沖縄人が〝日本人〟としてより〝琉球人〟としてのアイデンティティを強くもつことを望んでいると信じ、すくなくとも一九六〇年代までは、実際にそのような政策をとりつづけている」と述べているが、一方で、沖縄人が、伝統文化を継承し、伝統文化に対する自信と誇りを取戻し、独自のアイデンティティーを構築することになれば、本土復帰運動が高揚することを避けられるとの意図があったとも分析している（宮城 1992）。

アジアとの関係では、米国は、進歩・後進の二項対立の中で、先進的な米国の自由と民主主義に対し、後進的な沖縄においては、人々は自ら政治、経済を運営する能力をもたないと、沖縄人の自治能力を過小に評価していた（宮里 1966）。アジア諸国の人々もこの米国のモノサシの後進の側に位置づけられたという意味で、沖縄にとっては「同胞としてのアジア」を発見する回路が開かれていたということができる。

だが、モノサシがあるが故に、「同胞」の中にも優劣をつけることができるし、それが結果として「同胞」を分断するような政策に反映される場面も現われる。

戦後、米軍が基地内設備の建設・整備を急ぐ中で、多くの日本人、沖縄人が雇用されたが、それ以外にも、多くのフィィリピン人、台湾人、インド人が雇用され、基地内設備建設などに従事した。特に、一九四〇年代後半から五〇年代前半にかけて、多くのフィリピン人が沖縄にやってきており、米軍がフィリピン人の語学力を重視したため、フィリピン人はあらゆる職種で雇用されており、五〇年代には，その数が六〇〇〇人には達していたという（鈴木・玉城 1996）。

鈴木規之・玉城里子（1996）は、当時の在沖米軍のフィリピン人雇用政策について、米軍がフィリピン人の建設技術や工業機械を扱う知識を高く評価していたことも手伝って，その給与が沖縄人に比べて割高だったとしても、地元の沖縄人を採用して時間をかけて教育していくよりも、はるかに簡単で手っ取り早い労働力の調達方法であった、との関係者の記録を紹介している。米軍は、終戦直後のマニラにおける基地労働者のリクルートの際に「沖縄は経済的にも工業技術の面でも遅れをとっているので、沖縄に行けばフィリピンよりも上の職種に就ける」（鈴木・玉城 1996: 55）ことを強調したという。

以上のフィリピン・沖縄の事例を進歩・後進の二項対立に当てはめる必要はないが，鈴木・玉城（1996、1997）は、他にも興味深い記述を残している。例えば、第1節で戦前沖縄から一万六〇〇〇人以上のフィリピン移民がいたことに触れたが、戦後直ぐに在沖米軍が基地労働者をフィリピンで募集したときに真っ先に応募したのが日系孤児であり、その多くは沖縄出身者の子どもたちであったこと(鈴木・玉城 1996)、また、ベトナム戦争と沖縄の買売春産業の関係について、沖縄女性がそれなりの蓄えをなし、底辺労働者としての地位から抜け出していき、その穴を埋めるように出稼ぎ労働者として基地歓楽街で働くフィリピン女性たちが増えていったこと(鈴木・玉城 1997)、などである。

米国を通して見えてくるアジアの特徴として、ここでは、ベトナム戦争との関係で「被害者としてのアジア」と「加害者としての沖縄」という対比をしておきたい。

一九六五年、米国は北ベトナムへの爆撃を開始し、沖縄の米海兵隊を南ベトナムでの地上戦に投入し、あるいはグアムから飛来したB52戦略爆撃機を沖縄からベトナムに出撃させた。沖縄の米軍基地は、補給・兵站基地として、ジャングル戦の訓練基地として、またベトナムからの帰休兵を受入れる休養と娯楽の場として、その軍事的価値を発揮した(星野 2018: 17)。

新崎盛暉(2013)は、ベトナム戦争を契機に、一九五〇年代の復帰運動に見られる「素朴なナショナリズム」は、六〇年代には「愛憎半ばする」アンビバレントな「対本土(ヤマト)感情」へと変化していたという。「六五年の米国による南ベトナム内戦への直接介入によって、沖縄における米軍政への抵抗闘争は、ナショナリズムを脱した反戦闘争へと質的転換を遂げることになる。沖縄が、直接最大のベトナム攻撃拠点であることがクローズアップされると、もはや米軍基地それ自体から目をそらすわけにはいかなくなった」からだ(新崎 2013: 91-92)。

大田昌秀(大田他 2013: 213)は、新崎らとの座談会で、反戦地主会の人たちが、「自分が祖先から受け継いだかけがえのない大事な土地は、人殺しと結び付く軍事基地に貸すのではなくて、人間の幸せに結び付く生活と生産の場にしたい」と主張していたことに言及している。「被害者としてのアジア」

に対して「加害者としての沖縄」であることを拒否しようとする姿勢をそこに読み込んでいるといえる。

したがって、それは、中東での米軍の戦争でも観察されることだろう。例えば、二〇〇四年四月のイラク・ファルージャでの掃討作戦では、六〇〇人以上の住民が殺害されたと報道されたが、このときの海兵隊の主力は、前年からキャンプハンセンに駐留し、三ヵ月間の市街地戦の訓練を行った第五海兵連隊第一大隊であった。また、第四海兵連隊第三大隊もキャンプシュワブに駐留した後、ファルージャでの戦闘に参加した（『しんぶん赤旗』二〇〇四年四月一八日）。

二〇〇四年一一月の二度目の総攻撃の直前までファルージャ市内に住んでいたワセック・ジャシムは、戦闘後の住民の悲劇をビデオカメラに収め翌年これを公開した。「米軍の違法性と残虐性」を記録した本人が二〇一〇年沖縄を訪れて口にしたこの言葉、「あの米軍がこの美しい島から来ていたなんて想像もしなかった」（高遠 2010）という彼の言葉に心を揺さぶられる沖縄人は少なくないだろう。大田（2013: 215）は、「在沖基地から出撃する米軍のヘリや飛行機が、イラクとかアフガニスタンで何ら罪のない人たちを殺戮していることに、多くの沖縄の人びとがひどく胸を痛めている事実にも配慮せねばなりません。自らの意思に反して加害者の役割を担わされていることについて」と述べている。

沖縄から、米国を通して見えてくるアジアとして、「同胞としてのアジア」「他者としてのアジア」「脅威としてのアジア」の他に、「被害者としてのアジア」を加えることができる。

米中央情報局（ＣＩＡ）が基地を巡る沖縄の世論を研究し，対策をまとめた「A Master Narratives

Approach to Understanding Base Politics in Okinawa」は、「万国津梁」という言葉に象徴される「アジアの十字路」との沖縄イメージについて、五つ目の「物語（narrative）」として言及している。「沖縄が再びアジアの交差点になる」という琉球王朝黄金期の「漠然とした歴史から派生した」この物語は、「この島の将来について、説得力ある代案を示すには至っていない」し、「近い将来基地に悪影響を及ぼすことはない」との見方を示し、基地がアジアとの「経済、文化交流促進を可能にしている」と説得すれば、米軍にプラスに働く可能性もあるとしている（『沖縄タイムス』二〇一八年五月二八日）。

だが、このＣＩＡの解説書は、比嘉政夫（1986）が「ノスタルジックなあこがれを込めた自負と、辺境に住む者のひけめとが入り混じった思い」という、この自己イメージの二面性を捉えることに失敗している。「他者としてのアジア」しか視野に入らず、「同胞としてのアジア」「被害者としてのアジア」像を捉えきれていないのだ。

沖縄の国内植民地、軍事植民地としての歴史を背景に、共通の経験を持つ国の人びととの信頼関係を構築することで、あるいは、「加害者としての沖縄」であることを拒否しようとする姿勢を保とうとすることで平和を実現し、この地域における人間中心の安全保障を実現したいという思いをその中に読み込むことができるとすれば、それは「脱『沖縄依存』の安全保障」へと繋がっている、と言うべきだろう。

4　重層的ネットワークによる協調的安全保障

新崎盛暉ら（2011）は3・11東日本大震災にともなう福島第一原子力発電所の事故と国際環境の激変とを受けて、「脱『沖縄依存』の安全保障」を呼びかけた。そこでは、沖縄に在日米軍基地の大部分を押し付けることで日本（国民）が「偽りの平和」を享受しているのと同じ構図が、福島に危険な原発を押し付けることで東京（都民）が「偽りの豊かさ」を享受しているという構図と重ね合わされ、そこにもう一つの構造的差別があることが指摘されている。

この「沖縄依存」は日本だけのことではない。新崎ら（2011）は、日本を含むアジア太平洋地域の米国の同盟国は、米国の覇権にただ乗り（フリーライド）して自国の安全を保障するために、沖縄に過重な負担を強いてきたとも論じている。

「沖縄に甘え、依存してきた安全保障政策からの決別」（新崎他 2011: 200）が、東アジアに平和と安定をもたらすとすれば、その可能性は、制度主義のアプローチ（協調的安全保障）と自由主義のアプローチ（経済相互依存による平和）を掛け合わせた「重層的政治・経済ネットワークによる信頼醸成型・紛争予防型の協調的安全保障」に求めることができるのではないか（星野 2018）。

前者の「協調的安全保障」のアイデアは，早くは一九九四年にＣＳＣＥ（ヨーロッパ安全保障協力会議）から拡大改組されたＯＳＣＥ（全欧安全保障協力機構）の中に、アジアではＡＲＦ（ＡＳＥＡ

Ｎ地域フォーラム）の枠組みの中にそれをみることができる。冷戦後の世界は、脅威の性格が特定の場合もあれば不特定の場合もあり、脅威の所在が外部にもみられ内部にもみられる、「共通の敵」のない時代である。つまり、特定の国家の軍事行動だけでなく、反乱、内乱、国際テロ、組織犯罪などに加えて、自然災害、環境破壊、感染症、飢餓など国境を越えるさまざまな地球的問題群もまた脅威である時代なのだ。

そうした時代の国際環境に対して、各国の協調による包括的なアプローチが必要だとする考え方が協調的安全保障として政策化されてきた。これは、特定の「共通の敵」を想定しない点において「集団安全保障」と同様だが、争点の多様化に応える仕方で、相互信頼醸成による紛争予防を重視する点にその特徴がある。不特定の分散した脅威を内部に取り込みつつ、それが顕在的な脅威や武力衝突に至らないように予防する「紛争予防」に重点を置き、相互の「信頼醸成」を中心に、透明性の拡大、脅威の拡散防止などによって平和を実現しようとする政策であると言える（星野 2018）。

後者の「経済相互依存による平和」は、長い歴史を持つ考え方だ。例えば、ヨーロッパにおける石炭鉄鋼共同体（1952）に始まる欧州統合の歩みの中で、経済など非政治的な領域における国家間協力の進展が政治・外交分野での協力へと波及（スピルオーバー）していくという議論がそれだ。

一九七〇年代には、国境を越えたモノ、カネ、ヒト、情報の移動が増加し、トランスナショナルな交流が深化する時代を背景に、国際相互依存論が展開された。ロバート・コヘインとジョセフ・ナイ（2012）の「複合的相互依存」の概念は、①国家だけでなく国際組織、多国籍企業、地方自治体、ＮＧＯ（非政府組織）等が国際関係の重要なアクターとして登場してきたこと、②軍事的安全保障だけでなく、経済、地球環境、人権などの諸問題が国際関係の重要な争点として浮かび上がってきたこと、そして、③対外政策の手段としての軍事力の役割が相対的に低下しつつあること、を指摘し、複合的相互依存状況の出現によって、国際紛争における軍事力行使の可能性が低下すると論じている（星野2018）。

国際相互依存論は、後に国際レジーム論に結びついていったが、自由主義的な国際経済制度が開放的な経済制度を国々に普及させ、国家の内側から国際社会を調和させる点を重視して、これを経済自由主義の「平和創造装置」であると論じることもできる（鈴木2007）。一九九五年、GATT（関税及び貿易に関する一般協定）を引き継ぐ形で、WTO（世界貿易機関）が発足したが、ドーハ・ラウンドが難航し、各国政府が自由貿易協定や経済連携協定に関心を寄せている現状からすると、トランスナショナルな交流の深化が拘束力のある国際貿易制度に結実し、世界レベルでの自由で開放的な経済システムの普及が「平和の礎」となれるかは、まだ未知数である（星野2018）。とはいえ、東アジアにおける重層的ネットワークの現在は、政治・経済の分野において、すでに一定の蓄積がある。「共同体」にはほど遠いにしても、「重層的ネットワーク」は形成されつつある。

例えば、李鍾元（2019）は、東アジア地域機構の現状を、ASEANプラス3（APT）、ASEAN地域フォーラム、拡大ASEAN国防相会議（ADMMプラス）、東アジア首脳会議などに注目して整理している。ネットワークの構成要素としては，石源華（2009）が指摘しているように、朝鮮半島六ヵ国協議、上海協力機構なども考慮に入れるべきだろう。

また，清水一史（2009）は、東アジアの地域経済協力を考える枠組として、東南アジア諸国連合（A

SEAN)、ASEAN自由貿易地域（AFTA)、東アジア自由貿易地域（EAFTA)、東アジア首脳会議（EAS)、東アジア包括的経済連携（CEPEA)、ASEAN地域フォーラム（ARF)、アジア太平洋経済協力（APEC)、アジア太平洋自由貿易地域（FTAAP）を揚げている。

沖縄の自治体が関わっている地域協力の例として、例えば、「沖縄県南城市モデルを活用したビクトリアス市アグリビジネス／アグリエコツーリズム強化プロジェクト」がある。二〇一三年、市とNPO法人レキオウィングスが、JICA沖縄と連携し、フィリピン・ビクトリアス市との農業・観光分野での草の根技術協力プロジェクトを開始した。気候や産業が類似しており同様の課題を近年克服してきた経験を生かしての自治体の国際貢献だが、将来的には、両市の戦略的連携を目指してパートナーシップ宣言を策定することまで視野に入っている。[6]

東アジアにおける重層的ネットワークは、政治・経済の分野はもちろん、通信・学術交流など文化の分野だけでなく、安全保障の分野にまで広がろうとしている。例えば、毛里和子・森川裕一（2006）のプロジェクトは、一九九〇年と二〇〇三年の各国間の国際通話の頻度をマッピングし、その驚異的な伸びを示しているし、一九九〇～九四年と二〇〇〇～〇四年の国際的共著論文数を比較し、その順調な増加を確認している（星野 2009：108-109)。

沖縄の研究者が関与している国際的な共同研究について、いくつか例を挙げてみよう。代表的な例の一つに、一五世紀から一九世紀にかけての琉球王府の外交文書『歴代宝案』を刊行するプロジェクトがある。関東大震災や沖縄戦で散逸・焼失した文書の写本が台湾大学に保管されているが、それらを基にした校訂本一五冊が二五年間の台湾・沖縄間の研究協力の成果として刊行された。刊行に先立ち台湾の中央研究院を訪れた県教育庁の専門員は、台湾で琉球史または中国－琉球関係史を専門とする研究者ら約三〇人を前に，「今後は日本文での訳注本や、世界の研究者が利用しやすいようにデジタル化し、ネットで公開したい」と県の計画を紹介した（『沖縄タイムス』二〇一六年八月一五日）。

他にも、例えば、二〇一四年、二〇一六年と「琉球・沖縄最先端問題国際学術会議」が北京大学歴史学部、北京市中日文化交流史研究会などの主催で開かれ、日本による琉球併合や中国との冊封・交易など琉球王国の歴史について、あるいは米軍基地問題や沖縄の将来展望などについての研究成果の発表と議論があった。沖縄側から三人、中国側から一二人の報告があり、台湾の研究者からの報告もあったという（『琉球新報』二〇一六年五月一六日）。

もう一つ、日中韓の共同教材開発のプロジェクトを紹介する。日本・中国・韓国の歴史研究、歴史教育者の交流が続けられてきたが、その成果として、日中韓三国共通歴史教材委員会による『未来をひらく歴史』（高文研、二〇〇五年）や『新しい東アジア近現代史』上・下（日本評論社、二〇一二年）の発行がある。これらを踏まえ更に発展させようとした「海洋領土に関する共同教材開発」プロジェクトは、台湾の研究者、東京の朝鮮大学校の研究者も加えて、沖縄戦・在沖米軍基地といったテーマを含む、東アジアの平和的共存を見据えた教育実践となっている（山口 2016）。

沖縄の自治体が関わっている文化・技術交流の事例として、二〇〇九年に始まった「沖縄・カンボジア『平和博物館』協力」、沖縄県平和祈念資料館とカンボジア国立トゥール・スレン虐殺博物館との間の草の根技術協力事業を挙げておく。このプロジェクトは、二〇一二年から、さらに「沖縄・カンボジア『平和文化』創造の博物館づくり協力」として規模を拡大して継続されているが、地上戦を経験した沖縄の博物館、資料館が、この間培ってきた平和を発信する博物館として必要なさまざまなノウハウをカンボジアの博物館へと伝えると同時に、カンボジア内戦の歴史と現状を沖縄に伝えることにも繋がった。(7)

軍事分野での交流について、屋良朝博（2017）は、米国主導の共同訓練が、領土問題を抱える中国とインド、南シナ海をめぐる論争を抱える中国とベトナム、フィリピンの軍人たちが、人道支援、災害救援（HA／DR）で協力し合う機会を提供している点を強調している。例えば、二〇一七年の多国間共同訓練「コブラゴールド」には二九ヵ国から八三三三人が参加し、米国、タイ、日本、マレーシア、シンガポール、韓国、インドネシアに加えて、少数だが中国軍一四人とインド軍一三人の参加があった。中国は二〇一四年に初めて参加し、翌年からインドも加わったという。三五二八人参加の米軍の中心は、沖縄からの第31海兵遠征隊だった。

もう一つ、安全保障分野でのネットワークとして、平和運動・反基地闘争の民衆の結び付きにも注目しておこう。新崎（大田他 2013）は、韓国の人びとが一九九五年以降の沖縄の運動に大きな関心を持ったと述べている。交流は現在にも続き，名護市辺野古の新基地建設に抗議して、キャンプシュワブのゲート前に座り込む市民を、韓国の平和団体「平和の風」の沖縄訪問団が激励した、というニュースがあるかと思うと（『沖縄タイムス』二〇一八年二月二〇日）、北東アジアの平和や軍事基地について考えるシンポジウム「沖縄・韓国民衆会議」が開かれたりもしている（『琉球新報』二〇一九年二月一一日）。ポドゥリプスカ（Podlipska, 2019）は、そうした交流の中から、新しい安全保障構想が生まれる可能性に言及している。

これら一つ一つのネットワークは、それ単体としては大きなインパクトを持っていないかもしれない。しかし、それは重層的なネットワークの一つの環を構成しており、隣接する環へと広がる触手を伸ばしていると言える。勝間田弘（2008）は、ＡＳＥＡＮが主導する協調的安全保障が規範を伝播する役割を担っていると指摘している。

5 「見えないアジア」に目を凝らして

本章の第一節では、「万国津梁」という言葉に象徴される「アジアの十字路」としての沖縄という県民に共通の自己イメージが，実際の沖縄経済やアジア経済の動向（「アジアのダイナミズム」）の反映であることを確認した。そして、アジアとの関係の中で沖縄の未来を考えるために、第2節では、沖縄から、日本を通して見えてくるアジアを、「同胞としてのアジア」「他者としてのアジア」「脅威としてのアジア」と呼び、第3節では、米国を通して見えてくるアジアに、「加害者としての沖縄」との対比で「被害者としてのアジア」を付け加えた。

第4節では、「脱『沖縄依存』の安全保障」への可能性を「重層的政治・経済ネットワークによる信頼醸成型・紛争予防型の協調的安全保障」に求めることができることを論じ、東アジアにおける重層的ネットワークの現在は、政治・経済の分野において、すでに一定の蓄積があるだけでなく、文化の分野や安全保障の分野においてもいろいろな兆しがあることを確認した。それにしても、現実の情勢は行きつ戻りつを繰り返している。

二〇〇五年の東アジア首脳会議の実現は、東アジア共同体構想の動きが本格化し、アジアの地域協力がワンランク・アップする重要な出来事だったが，その過程でこの機運が失速していった。李(2019)は、その原因を、中国の予想を上回る勢いでの台頭と、その対応をめぐる域内国の利害の交錯に求めている。

古関・豊下（2018）が、「共通敵」なき時代の沖縄に「東アジア軍縮同盟」という構想を提起する背景にも、同様の現状認識があると言えるだろう。いや、より正確に言えば、（1）中国の台頭に対する米国の対応が産み出している不安定性と、（2）それがもたらす緊張を背景に東アジアの国々が米中両大国に翻弄されているという構図がある、という現状認識である。「覇権国家の米国に対し、中国がその覇権に挑戦する大国として急速に台頭し情勢が不安定さを高め，日本をはじめ米国の同盟諸国は、米国兵器の購入や軍備増強、軍隊派遣など、さらなる『軍事貢献』『軍事的役割分担』を求められている。しかし、トランプ政権に特徴的なように、理念や価値観にこだわることなく『現実的な取引』が成立すれば、米中両国は提携関係を取り結び、米国の同盟諸国は、〝梯子を外される〟という事態に直面することになる」（古関・豊下 2018: 316-317）という見立てだ。

「米国は戻ってきた」との外交演説で国際協調・同盟重視への回帰を宣言し、「パリ協定」復帰やWHO（世界保健機関）離脱中止、イラン核合意復帰などでトランプ外交からの変化を印象づけたバイデン政権だが、歴代政権の中国に対する関与政策（エンゲージメント）は失敗だったとする認識では前政権からの大きな変化はない。バイデン大統領は、米国と中国との関係を「民主主義と専制主義の戦い」と呼び、民主主義サミットの開催を呼びかけた。

だが、その一方で、「日米両国は（中略）共通の利益を有する分野に関し、中国と協働する必要性を認識した」との日米共同声明（二〇二一年四月一六日）の文言は単なる付け足しではないことにも注意すべきだ。アラスカでの米中外相会談（二〇二一年三月一八日）の冒頭の一時間にわたる非難の応酬も、米中がそれぞれ自国の言い分を述べるために記者団を呼び戻して行なっていることから推察できるように、多分に報道向け、それも国内向けのパフォーマンスだと考えた方が良い。硬軟両様の構えには政策に柔軟性をもたらすという利点もある。

別の言い方をしてみよう。「民主主義と専制主義の戦い」を戦う同士との共同声明で、政治的自由と民主主義の「価値観の共有」が高く掲げられるのは不思議ではない。だが、「日本は同盟及び地域の安全保障を一層強化するために自らの防衛力を強化する」と共同声明に明記して、決意を示す事が常に報われるとは限らない。なぜなら、米国戦争権限法によれば、大統領が外国への軍隊派遣を決定するときは事前に議会と協議しなければならず、議会が承認せず宣戦布告を行なわない場合は軍事行動を停止しなければならない。そして、最近の世論調査では、米国の外交政策の優先順位について、民主主義、貿易、人権の促進という、リベラルな価値に結び付く活動を挙げる答えは少数で、調査対象者の約半数が、攻撃を受けている同盟国を守るために米軍を派遣することに反対しているのだから（Beckley 2020）。

だとすれば、東アジアの国々は、米中関係の従属変数になることを辞めて「自立」する道筋を見つけることの方が思慮深い選択だろう。それは近隣の国々と共同で模索するしかなく、その答えは「際限なき軍備拡張と緊張の激化」を「共通敵」と定めての「東アジア軍縮同盟」という名の緩やかな提携関係になるだろうと、古関・豊下（2018）は述べている。さらに、沖縄こそがこの緩やかな提携関係構築の拠点をなるべきだと主張する、その根拠として、「沖縄は日本の侵略戦争の拠点であったと共に犠牲者でもあったわけであり、日本の歴史認識と韓国やアジア諸国のそれとを〝架橋〟できる立場に立っているからである」（古関・豊下 2018: 337-338）と論じている。「万国津梁」の自己イメージをここに重ね合わせることで、その内実を豊かにすることができるのではないだろうか。

さらに、こうした構想の実現に向けて、古関・豊下（2018: 338）は、「自治体や都市間のレベル、民間や市民レベルでの交流や連携から動きはじめることが重要ではないだろうか。『東アジアの要石』である沖縄に拠点となるセンターを設け、さまざまなネットワークを駆使して、まずは『共通敵』をめぐる情報の収集と発信をおこない，次第に組織網を構築し、その過程で国連の関係諸機関との提携を深めていく」との道筋を提案している。前節でみたように、その種は至る所に蒔かれている。

最後に、「見えないアジア」について考えることで、本章をしめくくることにしたい。

「アジアのダイナミズム」という言葉が、ただ沖縄の経済発展のチャンスを与えてくれるアジアを指すのなら、それは経済グローバル化の中で出会う「他者としてのアジア」にすぎないと言えるだろう。あるいは、若林（2016）が言うように，沖縄から韓国や台湾、香港、マカオへ出かけていった人びとが、それらの地域について、グルメ、買い物、エステ、カジノなど、日本の旅行雑誌の中で流通するイメージをただなぞっているだけでは、「同胞としてのアジア」は見えてこない。モノ、カネ、ヒトが大量に移動し、沖縄とアジアの出会いが活発になり、交流の「量」が増えたとしても、それはまだ「互いの歴史的な経験や思想、感情、記憶を相互に理解し、より深い関係性に踏み込んで交流するという段階には至っていない」というのが若林（2016: 49）の評価だ。

沖縄でも日本国民の多くと同じように、中国や北朝鮮について「脅威としてのアジア」というマスメディアが提供するイメージをそのまま受け取ってしまっている場合については、第2節でもふれた。そこでは「加害者としての沖縄」という自己イメージはもちろん、「被害者としてのアジア」というもう一つのアジア像も見えてはこない。だが、共に犠牲者であったという側面から植民地主義の共通経験を想起するだけでは、「加害者としての沖縄」にも「被害者としてのアジア」にも届いていないとも言うべきなのではないか。

古関・豊下（2018）が「沖縄は日本の侵略戦争の拠点であったと共に犠牲者でもあった」とサラッとふれた点を、若林（2016）は屋嘉比収（2000）の仕事に言及しながら、さらに展開している。それは、沖縄から島の外へ出かけ、アジアの他の地域で戦争を戦ってきた人にとっての「加害者としての沖縄」像の欠落だ。屋嘉比（2000）は、自らも日本軍の一員として戦闘に加わったにもかかわらず、日本兵としてではなく、沖縄の兵隊として、日本兵の残虐性を語る手記が多いことを指摘している。被害者としての沖縄を「被害者としてのアジア」像に重ね合わせることで、こうした体験談が成立しているわけだが、ここでは本当に「被害者としてのアジア」が見えているわけではないのではないか、という問いであるとも言える。屋嘉比（2000）は、小さな共同体の寄り合いなどにおいて自らの残虐行為を得意げに語る場面があることに言及し、そうした体験談は市町村史などには収録されていないとも指摘している。

こうした「見えないアジア」にも目を凝らすことで，初めて、日本の歴史認識と韓国やアジア諸国のそれとを「架橋」することに貢献できるのだろうし、アジア太平洋地域の米国の同盟国に対し、米国の覇権にただ乗り（フリーライド）して自国の安全を保障するために、沖縄に過重な負担を強いてきたことを理解してもらうこともできるのだろう。

日本に併合されて、その辺境となった沖縄の、「辺境に住む者のひけめ」としてではなく、沖縄の国内植民地、軍事植民地としての歴史を背景に、共通の経験を持つ国や地域の人びととの信頼関係を構築していくことが、あるいは、「加害者としての沖縄」であることを拒否しようとする姿勢を保とうとすることが、この地域における人間の安全保障や協調的な安全保障の創造に繋がっているのだという自信と決意を「万国津梁」の自己イメージの中に読み込むことができるようになるためには、もう少し時間が必要なのかもしれない。

注

(1) 玉城デニー知事の選挙公約の一つに「万国津梁会議」があった。県が取り組むべき重要な分野で専門家や研究者が議論した内容を県の政策に取り入れる諮問機関として、米軍基地問題、SDGs推進、児童虐待、海外ネットワークなどについての会議が開催され、報告書が県のウェブページに掲載されている。

(2) 二〇一九年の完全失業率は二・七%へと減少したが、新型コロナウイルスの影響が観光業を中心に大きく反映し、二〇二〇年に三・三%、二〇二一年になってからの月平均値は三・六%から四・四%で推移している。

（3）しかし、二〇二〇年の入域観光客数は、前年比六三・二％（六四二万七三〇〇人）減の三七三万六六〇〇人、新型コロナウイルスの感染拡大に伴う過去最大の落ち込みとなった（『沖縄タイムス』二〇二一年一月二六日）。二〇二一年の夏も五月二三日に発令された緊急事態宣言が八月二一日まで継続することになり、観光客数の大きな回復は見通せない状態だ。

（4）西川長夫（2009: 32）は、世界のさまざまな地域における国民国家建設が「その初めから植民地主義的欲望と周辺部の植民地化の動きを内包していた」ことを指摘し、「一国内における文化的民族的特異性を持つ周辺地域（あるいはマイノリティ）が中央（あるいはマジョリティ）に対して植民地的状況に置かれていること」に注目して「国内植民地」の用語を使っている。

（5）江上能義（1986）は、一九八五年の県内高校・大学生の調査で、「沖縄は将来、どこの地域（国）と最も交流を深めていくべきだと思うか」との質問に対し、中国と東南アジアが二七％と同率首位だったことを報告している。

（6）草の根技術協力（地域活性化特別枠）事業概要　https://www.jica.go.jp/partner/kusanone/tokubetsu/phi_08.html

（7）「沖縄・カンボジア『平和文化』創造の博物館づくり協力事業」がＪＩＣＡ理事長賞を受賞　https://www.jica.go.jp/okinawa/topics/2015/ku57pq00000els0z.html

引用参考文献

新川明（2005）「9条と沖縄米軍基地は不可分の関係にある」『世界』７４０号

新崎盛暉(2013)「東アジアの平和と沖縄」大田昌秀他『沖縄の自立と日本:「復帰」40年の問いかけ』岩波書店
新崎盛暉(2016)『日本にとって沖縄とは何か』岩波書店
新崎盛暉、我部政明、桜井国俊、佐藤学、星野英一、松元剛、宮里政玄(2011)「脱『沖縄依存』の安全保障へ」『世界』二〇一一年一一月号
うえちみわ(2005)「『人類館』事件のあらまし」演劇「人類館」上映を実現させたい会『人類館:封印された扉』アットワークス
上村英明(2015)『新・先住民族の「近代史」』法律文化社
演劇「人類館」上映を実現させたい会(2005)『人類館:封印された扉』アットワークス
大田昌秀、新川明、稲嶺恵一、新崎盛暉(2013)「座談会 沖縄の自立と日本の自立を考える」大田昌秀他『沖縄の自立と日本:「復帰」40年の問いかけ』岩波書店
沖縄県(2010)『沖縄21世紀ビジョン:みんなで創るみんなの美ら島 未来のおきなわ』
沖縄県(2012)『沖縄21世紀ビジョン基本計画:沖縄振興計画平成24年度~平成33年度』
沖縄県(2015)『平成25年度 地域安全政策調査研究報告書』知事公室地域安全政策課
沖縄県(2020)『観光要覧~沖縄県観光統計集』令和元年版
沖縄県企画部(2018)『平成30年度 経済の見通し』
沖縄県企画部統計課(2016)「統計トピックス:沖縄と移民の歴史(「第6回世界のウチナーンチュ大会」によせて)」平成28年11月号(No.457)http://www.pref.okinawa.jp/toukeika/so/topics/topics459.pdf
沖縄県企画部統計課(2017)『100の指標からみた沖縄県のすがた 平成28年版』

沖縄県企画部統計課（2018）『平成30年 沖縄県勢要覧 みえる・わかる・おきなわ』
沖縄県商工労働部アジア経済戦略課（2019）『沖縄県の貿易　平成30年度版（平成29年実績）』
勝間田弘（2008）「アジアの協調的安全保障：『ＡＳＥＡＮ地域フォーラム』から『東アジア共同体』へ」武田康裕・丸山知雄・厳善平編著『現代アジア研究　３政策』慶應義塾大学出版会
河野啓・小林利行（2012）「復帰40年の沖縄と安全保障：「沖縄県民調査」と「全国意識調査」から」『放送研究と調査』二〇一二年七月号、ＮＨＫ放送文化研究所
河野啓（2017）「沖縄米軍基地をめぐる意識 沖縄と全国：二〇一七年四月「復帰45年の沖縄」調査」『放送研究と調査』二〇一七年八月号、ＮＨＫ放送文化研究所
国際連合「国民経済計算データベース」National Accounts Main Aggregates Database（http://unstats.un.org/unsd/）
国際通貨基金（2021）「ＩＭＦ世界経済見通し　広がる復興の差　回復を進める」https://www.imf.org/ja/Publications/WEO/Issues/2021/03/23/world-economic-outlook-april-2021
古関彰一・豊下楢彦（2018）『沖縄　憲法なき戦後：講和条約三条と日本の安全保障』みすず書房
コヘイン、ロバート・Ｏ／ナイ、ジョセフ・Ｓ（2012）『パワーと相互依存』（滝田賢治訳）ミネルヴァ書房
島袋純（2018）「沖縄は平和か?：戦争と暴力の源泉」『沖縄平和論のアジェンダ：怒りを力にする視座と方法』法律文化社
清水一史（2008）「東アジアの地域経済協力とＦＴＡ：ＡＳＥＡＮ域内経済協力の深化と東アジアへの拡大」高原明生・田村慶子・佐藤幸人編著『現代アジア研究１　越境』慶應義塾大学出版会
鈴木規之、玉城里子（1996）「沖縄のフィリピン人：定住者としてまた外国人労働者として（１）」『琉大法学』第

57巻、六一－八八頁

鈴木規之、玉城里子（1997）「沖縄のフィリピン人：定住者としてまた外国人労働者として（2）」『琉大法学』第58巻、二二九－二六〇頁

鈴木基史（2007）『平和と安全保障』東京大学出版会

石源華（2009）「北東アジア安全協力の歴史、現状と課題」宇野重昭・小林博編『北東アジア地域協力の可能性』国際書院

高遠菜穂子（2010）「高遠菜穂子リポート〈米軍の「残虐性」直視を〉」『週刊金曜日オンライン』http://www.kinyobi.co.jp/kinyobinews/2010/05/26/ 高遠菜穂子リポート〈米軍の「残虐性」直視を〉

波平恒男（2014）『近代東アジア史のなかの琉球併合：中華世界秩序から植民地帝国日本へ』岩波書店

南西地域産業活性化センター（2017）『沖縄経済レビュー No. 4 県内の在留外国人の動向』

南西地域産業活性化センター（2020）『沖縄経済レビュー No. 13 県内の在留外国人の動向』

西川潤・松島泰勝・本浜秀彦編（2010）『島嶼沖縄の内発的発展：経済・社会・文化』藤原書店

西川長夫（2009）「いまなぜ植民地主義が問われるのか」西川長夫・高橋秀寿編『グローバリゼーションと植民地主義』人文書院

西里喜行（1986）「前近代沖縄の自己意識と国際意識」島袋邦・比嘉良充編『地域からの国際交流：アジア太平洋時代と沖縄』研文出版

日韓共同「日本軍慰安所」宮古島調査団著、洪玧伸編（2009）『戦場の宮古島と「慰安所」』なんよう文庫

ハーシュマン、A・O（2005）『離脱・発言・忠誠―企業・組織・国家における衰退への反応』ミネルヴァ書房。（Albert

O.Hirschman, Exit, Voice, and Loyalty: Responses to Decline in Firms, Organizations, and States, Harvard University Press, 1970.）
比嘉春潮（1973）『比嘉春潮全集』第5巻、沖縄タイムス
比嘉政夫（1986）「沖縄の文化的特性と国際交流」島袋邦・比嘉良充編『地域からの国際交流：アジア太平洋時代と沖縄』研文出版
星野英一（2009）「『基地のない沖縄』の国際環境」宮里政玄ほか編『沖縄「自立」への道を求めて』高文研
星野英一（2018）「国家の安全保障と平和」『沖縄平和論のアジェンダ：怒りを力にする視座と方法』法律文化社
洪玧伸（2016）『沖縄戦場の記憶と「慰安所」』インパクト出版会
マコーマック，ガバン＋乗松聡子（2013）『沖縄の〈怒〉：日米への抵抗』法律文化社
宮城悦二郎（1982）『占領者の眼：アメリカ人は〈沖縄〉をどう見たか』那覇出版社
宮城悦二郎（1992）『沖縄占領の27年間：アメリカ軍政と文化の変容』岩波書店
宮里政玄（1966）『アメリカの沖縄統治』岩波書店
毛里和子・森川裕一編（2006）『東アジア共同体の構築　4図説：ネットワーク解析』岩波書店
屋嘉比収（2000）「ガマが想起する沖縄戦の記憶」『現代思想』6月号
山口剛史編著（2016）『平和と共生をめざす東アジア共通教材：歴史教科書・アジア共同体・平和的共存』明石書店
屋良朝博（2017）「沖縄・米海兵隊の実態を検証する」新外交イニシアティブ編『辺野古問題をどう解決するか：新基地をつくらせないための提言』岩波書店

李鍾元（2019）「東アジア共同体形成の現状と課題」広島市立大学広島平和研究所編『アジアの平和と核：国際関係の中の核開発とガバナンス』共同通信社

林和雄（2005）「人類館事件と中国そして台湾」演劇「人類館」上映を実現させたい会『人類館：封印された扉』アットワークス

呂順長（2005）「大阪人類館事件における中国側の対応について」演劇「人類館」上映を実現させたい会『人類館：封印された扉』アットワークス

若林千代（2016）「変容するアジアと沖縄：経済グローバル化と戦争の記憶」日本平和学会編『東アジアの平和の再創造［平和研究第46号］』早稲田大学出版部

Beckley, M. (2020) "Rogue Superpower," Foreign Affairs, Nov.-Dec. 2020.

Podlipska, Katarzyna（2019）*The Construction of Alternative Security within and beyond Borders in the Twenty-First Century: The Anti-Base Movement in Okinawa and South Korea*. Doctoral Dissertation. Graduate School of Humanities and Social Sciences. University of the Ryukyus.

Uemura, Hideaki (2003) "The Colonial Annexation of Okinawa and the Logic of International Law: The Formation of an Indigenous People," Japanese Studies 23, no.2 (September 2003): 107–124.

『沖縄タイムス』

二〇一六年八月一五日「琉球王府の外交文書「歴代宝案」刊行へ　台湾の研究者に協力依頼」https://www.

okinawatimes.co.jp/articles/-/57516
二〇一六年一〇月二〇日「『黙れコラ、シナ人』別の大阪の機動隊員も発言　沖縄県警が謝罪」https://www.okinawatimes.co.jp/articles/-/67343
二〇一八年二月二〇日「［連帯して闘おう］韓国の平和団体、辺野古のゲート前訪れ激励　99台が資機材搬入」https://www.okinawatimes.co.jp/articles/-/212214
二〇一八年四月二六日「沖縄観光客ついに１０００万人目前　２０１７年度９５７万人、５年連続で過去最高」https://www.okinawatimes.co.jp/articles/-/243220
二〇一八年五月二八日「沖縄を理解するための『五つの物語』米ＣＩＡが示した驚くべき内容」https://www.okinawatimes.co.jp/articles/-/258264
二〇一八年一二月二八日「万国津梁会議　新年度に設立／辺野古　対話で解決探る／玉城知事インタビュー」https://www.okinawatimes.co.jp/articles/-/365486
二〇一九年三月三一日「沖縄2月の完全失業率、全国平均を下回る２・０％『県内景気の拡大』で過去最低を記録」https://www.okinawatimes.co.jp/articles/-/402859
二〇二一年一月二六日「那覇のクルーズ船　２０２０年度の寄港３００回を予測　実際は…」https://www.okinawatimes.co.jp/articles/-/697955
二〇二一年一月二六日「沖縄の観光客、２０２０年は63％減って３７３万人　コロナで過去最大の落ち込み」https://www.okinawatimes.co.jp/articles/-/698291
『しんぶん赤旗』

二〇〇四年四月一八日「ファルージャでの住民虐殺〝沖縄での訓練の成果〟米海兵隊が誇示」https://www.jcp.or.jp/akahata/aik3/2004-04-18/02_03.html

『日本経済新聞』

二〇一八年二月二日「沖縄観光客、ハワイ超え　昨年」
https://www.nikkei.com/article/DGXMZO26488690S8A200C1LX0000/

『琉球新報』

二〇一六年五月一六日「琉球王国の歴史認識共有　中国で国際学術会議が開幕」https://ryukyushimpo.jp/news/entry-279665.html

二〇一九年二月一一日「在韓、在沖米軍『撤退を』沖縄・韓国民衆が平和討論」
https://ryukyushimpo.jp/news/entry-873939.html

星野英一

第5章 アジアを結びつけるものとしての石油
——日本・イラン間の資源外交——

1 戦後日本石油産業の展開

戦後日本の経済発展と共に基本的な原材料の必要性が増大するようになった。周知のように、日本は元々自然条件の貧困さ及び制約がある国であり、戦前の日本がそのため対外膨張政策に踏み切り、原材料の需要を植民地から供給していたものの、戦後になってからは高度成長の影響に沿って拡大した原材料の需要を乏しい国内資源のみで供給できなくなった。(1) そのため、海外からの輸入量が年を追うごとに増え、いわゆる海外依存の高まりから、需要規模において世界第二位であるのに対して、資源輸入量で一九六八年でＯＥＣＤ（The Organisation for Economic Co-operation and Development：経済協力開発機構）全体の資源輸入量の一八・二％を占め、米国を追い越し世界第一位の規模を有するようになった。資源別にみてもほとんどの資源で第一位の輸入国であり、石油も例外ではなかった。[2]

また、第二次世界大戦後の国際石油市場体制が変わり、米国は一九四八年より石油輸出国から輸入超過国へ転じ、中東諸国で油田の発見及び開発が活発化したため、サウジアラビア、ベネズエラ、クウェートなどの国々が国際石油市場へ主要輸出国として台頭し始めた。特に中東石油による過剰供給のため、新しい市場を開拓せざる得なくなり、石油不足の資源小国が売り込み先として考えられるようになった。こうした中、日本への石油供給源も変わり、戦前の主な輸入先たる米国および南方諸国から中東地域へと転じていった。[3]従って、それまで国際石油市場において通用していた生産地精製方式から消費地精製方式へ逆転する動きがヨーロッパをはじめとする各消費地で起きた。[4]

こうした国際的な流れにGHQも応じ、一九四九年七月一三日に「太平洋岸製油所の操業及び原油輸入に関する覚書」が発表されることによって、日本政府に対して正式に太平洋岸製油所の操業再開と原油の輸入を許すようになった。その結果、日本の企業が製油所を復旧する準備に着手し、一九五〇年一月から太平洋岸の製油所の操業が実質的に再開されはじめた。[5]そこでGHQから許可を得た日本の石油精製会社は次々と英米石油企業と間で各種の提携契約を結び、輸入原油の確保、そして日本での精製事業を図るようになった。[6]

2 イラン石油の輸出と国策としての石油会社設立構想

第二次世界大戦後の石油業界において転換期となったのは一九五一年当時のイラン政府による石油国有化決定であった。[7] 先ず一九五一年三月一五日にイラン国民議会、マジュリス（＝Majlis）は石油国有化法案を可決した。同年四月末それまでイラン石油の支配権を有していたアングロ・イラニアン石油会社（＝ブリティッシュ・ペトロリアム、ＢＰ）[8]の接収を可決するに至ったが、同年五月一日にイランの石油利権接収委員会がモハンマド・モサデク（1882～1967）[9]政権の上述の決定を実践し始めたのである。モサデク政権によるイラン石油の国有化決定は明らかに国際石油市場を支配するメジャーの一社たる英国資本のアングロ・イラニアン石油会社にとって深刻な挑戦であった。その結果、英国とイランとの関係が悪化し、中東における重要なエネルギー資源の拠点であるイランを失わないために英国が国際社会においてモサデク政権を封じ込めようとした。先ず外交的な手段を使用しながらこの問題を解決しようとした英国の努力が実らなかったため、その他の対応方策が図られた。具体的には、英国は一九五一年五月二六日に石油利権接収問題を国際司法裁判所に訴えてから、同年九月二八日に国際連合の安全保障理事会にこの問題を委託した。その他、イラン南西部に位置する港湾都市アバダンの沖に軍艦を送るハードパワーの手段を加えた英国は経済制裁まで行った。さらに同盟国の米国による外交的斡旋も図ったものの、いずれも成果をもたらすことが出来なかった。最終的にイランは英国のあらゆる封鎖政策に屈せず、断固として石油国有化政策を辞めなかった。その結果、経済的且つ政治的苦境に陥ったイランは国際石油市場において民族系石油会社に手持ちの石油を売る方針を採った。これまでメジャーの手により売買された過程と異なり、イラン石油は初めて同国の民族派のモサデク政権により売却する道を日本も含めて世界中探し求め、各国に呼びかけた。[10]

民族派のモサデク政権の反西欧かつ反国際資本主義的スタンスに対して、日本で終生国際資本に対抗した「民族系石油会社の雄」[11]と目される出光佐三（1885 ~ 1981）は共感したのである。「民族主義、冒険趣味、劣等感」や反欧米思想などの複雑な感情が、国有化されたイラン石油にもソ連石油にも目を付ける原動力となったと考えられる。アングロ・イラニアン石油会社及び彼らが影響を及ぼした英国政府の結束手段に直面したイランはついに国有化した自国石油を売り込み先としてイタリアのブローカー企業スポール商会[12]と、日本の出光興産社と提携することに成功した。換言すれば、外資資本の提携を持たなかったこれらの二社は民族系資本としての窮状の中、比較的安い「民族主義のイラン石油」に目を付けざるを得なかった。[13]

出光興産株式会社店主室の出版物によると、イラン石油を購入する事業の出発点は出光佐三の末弟である出光計助（1900 ~ 1994）へのブリヂストンタイヤ社長の石橋正二郎からの電話であった。一九五二年四月の講和条約発効と共に日本は独立を回復し、石油行政権が正式に日本政府に移ることとなったのは周知のとおりであるが、講和発効より一ヵ月前の三月のある日、夕食を終えた出光計助の自邸に同じ福岡県出身である石橋正二郎から電話がかかり、「珍しい人がいま、ここに来ていますので、あなたにぜひ引き合わせたい」と言い出光計助を自宅に誘ったとされる。同じ福岡県出身の「先輩として尊敬していた」石橋の誘いに気軽に答え、東京都港区麻布永坂町の彼の私邸に赴いた出光計助は米国在住のイラン人であるモルテザ・コスロブシャヒという人物に会ったとされる。モルデサに紹介された出光に対して石橋は「出光さん、あなたのところでイランの石油を買う気はありませんか。この人がその話を持ってきているんですが」と伝えたとされる。[14]

モルテザは決して独断で来日したわけではない。そこに石橋と彼の娘婿で当時通産省渉外課長の職にあった郷裕弘の動きが見られる。出光興産社の『アバダンに行け』によると、実際にイラン石油の輸入勧誘が出光興産社に運び込まれる前に石橋と郷を中心に通産省の関係者との間ではイラン石油の輸入に関する別の計画があったことが窺える。

石橋の娘婿の郷は戦前父とともに米国に渡り、マサチューセッツ大学で学び、英語が堪能な人であったが、当時弁護士界の名士で谷山内外特許事務所所長を務めた谷山輝雄の証言によると、戦後「通産省（前身：一九四九年五月以前商工省）とGHQとをつなぐパイプ」役であった。戦後商工省の渉外を担当しGHQの関係者と密接に関わった時、占領軍の勢力を利用し日本の石油業界を支配しようとしたメジャーに対して反抗心が強かった。メジャーに抵抗する国策石油会社、いわゆる「和製メジャー」をつくるべきと確信していたのである。[16] 実際に和製メジャー設立は当時の通産省の若手官僚の一部の間で共通した構想であった。郷もその一派の一人であった。[17]

対日講和条約の締結前後、石橋はある日本の新聞においてイランで自動車タイヤが不足したニュースを目にし、新しいマーケットを開拓するために早速郷に連絡を取り、イランに自社のタイヤを売りこめるかどうか相談したとされる。石橋によるタイヤ商談をイラン石油と引き換えに考えた郷は、この展開を機にイラン石油を自由かつ独自に日本に運び込む国策会社の設立を真剣に検討した。[18]

郷は上司の山本高行（1907～61）通産次官にイランへのタイヤ売込み、同国からの石油輸入事業とそのための国策石油会社構想について相談・了解を得たのである。それゆえ、郷は暑中休暇を利用し米国でイランのモサデク政権と連絡するためのチャンネルを探しに米国に渡った。最終的に、ＧＨＱとの関係を使いニューヨークにあるオーヴァーシーズ・コンサルタント会社に相談することとなった。同社は米国政府その他の民間団体などから委託を受け海外に技術者を派遣したり資源調査や海外開発のプラニングを行ったりしていた。また賠償問題や電力再編成問題などで日本と関わりがあった一社でもあった。こうしたオーヴァーシーズ・コンサルタント社の関係者からイラン政府との連絡のための仲介役として上述のモルテザは紹介されたのである。郷はモルテザに詳しく話した上でイラン石油の輸入計画をより具体化させる一歩を進め、彼の来日を促したとされる。[19]

こうした過程を経て一九五二年三月、日本に着いたモルテザを空港で迎えたのは郷と石橋の要請により元大蔵省主税局員でアルコール興業株式会社代表社員の柳沢治郎及び、山本高行通産次官の要請で谷山内外特許事務所所長の谷山輝雄の三人であった。モルテザは約二週間日本に滞在したが、この間政財官界の要人と会合し、イラン石油の日本への輸入の件でいろいろと意見を交換した。モルテザを囲む日本側関係者には上述の郷、谷山、柳沢、石橋と通産次官の山本の他にもう一人がいた。それは後の首相座に就く福田赳夫であった。郷らのイラン石油の輸入のための国策石油会社構想において福田が社長として考えられていたとされる。[20]

当時、福田元総理は大蔵省主計局長を務めていた時生じた「昭和電工事件」で同省を退官するに至ったが、前述の谷山の事務所にオフィスを構えた福田はイラン石油の輸入に関する上述の日本側関係者と懇意な関係にあった。福田は郷らによる国策石油会社構想についてどこまで関知していたか定かではないが、とにかくモルテザと石橋や郷などからなる日本側関係者との会談には何回か参加したことは確かである。[21] 約二週間のモルテザの滞在中、彼と日本側要人による交渉で話がまとまらなかったとされる。この構想が破綻した理由は明確ではないものの、話が本格化していくなかで、専門家ではないこれらのメンバーではこの計画をスムーズに進められるかどうかの疑念が起きたためであろう。最終的に、郷らによるイラン石油の輸入の為の国策石油会社の設立構想はこのメンバーでは難しく、石油の流通に関する専門の事業家が必要であると判断されたためか石橋の判断で彼の旧知である出光に話が持ち込まれるに至った。

3　出光興産株式会社とイラン政府との交渉

出光興産社にイラン石油の輸入の話を持ち込んだのは石橋であり、その第一回の会合が石橋の私邸で行われたことは前述の通りである。石橋邸におけるこの会合は約二時間足らず続いたとされる。出光計助は翌朝直ぐに実兄の佐三に前夜の話を詳しく報告し答えを求めたが、佐三はイラン石油の取引きを拒絶したとされる。実際に石橋社長邸における会合に参加したのは石橋、計助とモルデサだけではなかった。経済安定本部長官（現：経済企画庁長官）の周東英雄（1898～1981）、参議院議員で戦時中の東条英機内閣の国務相及び大東亜相の青木一男（1889～1982）、郷裕弘と、郷裕弘と同じく石橋社長の娘婿であり、元外相・参議院議員の鳩山威一郎（1918～93）もいたとされる。[23]

事実上、国有化されたイラン石油輸入の話が出光興産に最初に持ち込まれたのは石橋邸での会合より一ヵ月前の二月であった。当時経済安定本部長官を務めた周東英雄は出光と共に丸善石油と大協石油の代表らを長官公舎に招待し、イスラーム貿易社長の宮崎義一が進めていたイラン石油輸入プロジェクトに支援を要請した時であったが、その後も「第三者からイランの石油を購入しないかとたびたびすすめられた」とされる。佐三はこれらの勧誘をすべて拒んだ。[24]

その理由については、佐三はイランと英国との間でイラン石油の利権をめぐる問題がまだ決着がせず、こうした国際問題に下手に巻き込まれることによって会社としての国内外の信義を失う可能性があったことを示唆した。[26] また、実弟の計助の下記のことばからは、イラン石油の国有化問題がハーグの国際司法裁判所により国際的且つ暗黙に違法行為ではないと承認されるまで[26]の初段階において出光興産社が国内外の石油業界でより孤立しないように警戒していたことが窺える。[27]

マホニーとの会談で初めてイラン石油国有化の実情がわかってきた。それまで僕らの耳に入ったイラン関係の情報はほとんどイギリス寄りのもので、ほんとうのことを伝えていなかったんだな。〈中略〉イランの実情を初めて知り、これじゃ石油の国有化も無理はないようこれまでイランはイギリスの搾取にがまんしてきておるというふうに考えが改まるわけだ。

また、そのころ国際情勢も変わり出しておった。イランの石油国有化を認める方向に動き出しておる。ハーグの国際司法裁判所がイランの石油国有化に対するイギリスの側の提訴を却下したのも、たしかそのころのことだ。米国の国務省筋もやがてイランの石油国有化を既成事実として承認するようになる。

こういう動きを見ていると、もう勧誘を拒絶する理由はない。そうなれば、こちらもボヤボヤしておれん。出光はそのころメジャーともまったくつながりがなく、米国で油の買い付けにさんざん苦労していた時期だ。そこに自由に買える安い石油がポカッと浮かびあがってきたというわけで、出光はここで初めて腰をあげ、イランに向かって走り出すことになるわけだ。

出光の上述の初期スタンスが転換したことには、三つの要素が働いたと考えられる。

①後述のウィリス・マホニー、ポール・コフマンという二人の米国人の来日。

②国際司法裁判所によりイラン石油の国有化に対する英国の提訴が却下。
③イラン石油の国有化問題に関する出光興産社側の知識の深化。

さらに米軍を中心に約七年間の連合軍の占領を経験した日本の石油業界では、イラン石油の国有化が米国務省により正式に承認されたことは大きな意味を持ったと考えられる。従って、一九五二年三月の石橋邸会談より数ヵ月後、イラン石油を輸入する話が別のルートで改めて出光興産に持ち込まれたのは決して偶然ではない。出光の述懐からも分かるように、今度はウィリス・マホニーという米国人弁護士から西園寺公望の秘書を戦前務めていた加藤辰弥を通じて佐三にイラン石油の購入の件で面談が申し入れられた。マホニーはニューヨーク市のオーヴァーシーズ・コンサルタント社の一員である他、弁護士も務めていたのである。上述のモルテザと懇意な間柄にあり、イラン石油事情にも詳しい人であった。また、占領下の日本にGHQの法務部員として滞在し、当時の人脈であったかと思われるが、吉田茂とも密接な関係を有していたとされる。[28]

佐三は弟の計助と共にマホニーに帝国ホテルで会い、通訳の加藤を経てマホニーからイラン石油の国有化問題の実態・近状について詳しく説明された上でイラン石油を購入する意思があるかどうか直接聞かれた。返答を留保しながらイラン石油の買い付けをいつもより真剣に考え始めたのである。その後、マホニーを初めとする米国筋の情報を中心にこの問題をより詳細に調べ、他のルートの関係者とも接触した。出光らの動いたもう一つの要素として前述のコフマンの来日、そして彼からの重要な情報提供があった。

実際にマホニーは米国のスタンダード・リサーチ・コンサルタント会社の社長を務めていたポール・コフマンの東京での代理人でもあり、出光らとの会談でコフマンや彼からの情報を共有していたとされる。従って、出光の要請で来日することとなった。コフマンは一九五二年八月半ば頃日本に訪れ、出光らに会った。コフマンに会ったのは出光佐三、出光計助及び出光興産社常務の手島治雄であり、マホニーも参加したとされる。この会談においてコフマンは米国のイラン石油の国有化問題及び第三国の企業によるその輸入に関する米国政府のスタンスを秘密理に伝えたとされる。[29] これによると、米国政府は英国政府を説得し、近い将来共同提案でイラン石油の国有化問題を既成事実として認めるとともに、出光側にはイラン石油を購入する意思があるならモルテザを通じてイランのモサデク首相が出光代表と会談するとのことであった。[30] コフマンによるこれらの情報の正確さはこの会談からまもなく経ってから証明され、この会談から約二週間後の八月末、米英政府による共同提案はイラン政府に手交されたものの、モサデク政権がこれを拒絶したとされる。

コフマンは米国務省と国防省の両筋に顔が利き、戦前ハーバード大学などで講師も務めた人であった。占領期の日本とドイツの賠償問題に関わった他、日本の電力再編成問題にも関与し、日本も含めて世界の石油エネルギー事情に詳しかったとされる。アイゼンハワー政権の国務長官であったジョセフ・ダレスなどとも個人的に密接な関係を持ち、トルーマン大統領による後進国開発に関する援助プロジェクト「ポイント・フォア計画」のメンバーであったためイランに出入りしていた。また、ニューヨークにも事務所があった「アメリカ・イラン協会」のメンバーでもあったコフマンは日本でマホニーとともに出光らと会談し、イラン石油の輸入を促したのである。出光らは、コフマンとマホニー両者との会談後、イラン石油の輸入に対する意思をさらに固め、コフマンが離日する直前の八月二七日には彼らとの間でイランからの石油輸入の交渉の「独占的代理人」契約を結んだとされる。(31)

この契約によって、出光によるイラン石油の輸入交渉はコフマンらを通じて行われることになった。こうして、イランに於いてイラン人でイラン・米国間で多岐にわたる貿易を行うモルテザ、米国においてコフマンという有力なビジネスマン及び日本において彼らの代理人でもあったマホニーと出光らからなる三角協力は世間で「日章丸事件」として知られるイラン石油の輸入事業を生み出したと言える。

佐三はコフマンらとの会談後、国際的な政治情勢がイラン石油を買い付けるのに熟したと納得し、ついにイランからの「民族系石油」の輸入交渉を開始することにした。佐三の次の一歩はイラン政府と直接接触することであり、そのため弟の計助と東京でのコフマン会談に同席した手島常務をテヘランに派遣したのである。計助と手島は極秘にモサデク首相と政府関係者と直接石油輸入の交渉に当たるために一九五二年一一月五日に羽田空港を出発した。当時日本とイランとの間に国交がまだなく、直行便も当然なかったためパキスタン経由でイランに行くことにした。計助と手島は同月八日にテヘランに到着したが、出迎えに来たのは最初から交渉に関与していたモルテザともう一人の米国人弁護士バロンと言う人物であった。[32]

翌朝二人はモルテザの案内でモサデク首相を官邸に訪問し、出光佐三からの親書を手交したうえで、本格的な交渉に当った。計助と手島は一一月一五日までイランに滞在したが、ほとんど毎日イラン政府の関係者と交渉を行ったとされる。帰国した二人は出光佐三に報告した上で翌年の二月三日には再びテヘランに赴き、イラン政府要人と交渉に当った。第二回の交渉の際、一九五三年二月一四日に出光代表の計助と手島はテヘランでイラン国営石油会社（ＮＩＯＣ）の指導部との間で石油売買の基本契約・補足協定を結ぶに至ったのである。[33]

この契約の条項によると、出光興産社はイランから九年間にわたり石油を購入することとなっていた。これはモサデク政権がイラン議会の承認なしに結べる最長期限であった。この間「相互同意により」取り消さない限り、九年後両側の関係者による協議を経て更新されることとなっていた。また、取引量に関して無制限とされるほか、支払い条件は半額米ドル建てともう半額円建てとされた。さらに、イラン側から出光社に対して義務条件が一つ加えられ、契約調印の日から二ヵ月以内に少なくとも四万五〇〇〇バーレルの製品と、第二船の出港から一八ヵ月以内に揮発油と軽油からなる合計五〇〇〇万バーレルの石油を積荷することが条件とされていた。[34]

第一交渉が終わり日本に戻ってから、国際的にイラン石油の輸入を更に促す展開があった。一九五二年一二月の初頭にはアチソン米国務長官が企業や個人などが自己責任でイラン石油を購入することに対して抵抗がないという声明を再び[35]発表するとともに、欧米系メジャーズはイラン石油の共同購入・販売のためにコンソーシアムを結成する動きが開始した。国際大石油企業からなるコンソーシアムは国有化されたイランの石油をかつての支配者であったアングロ・イラニアン社の代わりに独占するものであった。この展開を第二次世界大戦後米英間の権力競争の一例として読み取ることが出来るだろう。イラン石油の国有化問題に関して同盟国英国に対して冷評的態度をとり、同政府を説得する下工作を行ったのである。戦後の新しい産油地として比重を強めた中東に於いてイラン石油の重要性は言うまでもなく、ある意味でイラン石油の自立・独立を促すことによって自己利益の下、イランで資源エネルギー体制の構築をはかったのだろう。他方、出光興産とＮＩＯＣとの間の契約の約一ヵ月後、一九五三年三月イタリアのヴェニス裁判所は、イタリア船が積載したイラン石油の仮処分の為にアングロ・イラニアン社による申し立てを却下した。[36]

4　日章丸事件

上述のように出光らは米国・イラン間の貿易ネットワークを経てイラン政府と石油の輸入交渉を進めた上で契約の調印に漕ぎつけるに至ったが、契約調印の日から二ヵ月以内に石油を積荷しなければいけないという条件に従い、出光佐三らは早速イランに向けてタンカーを送る第一歩を取った。まず他社のタンカーを使用することを考え、日本国内の船会社である飯野海運にこの話を持ち掛けのである。タンカー輸送の件で当初合致した二社の首脳は計助と手島によるイランにおける交渉中、飯野海運社からいきなりタンカーはイランに回さないとの通告をうけた。これはイラン石油の輸入計画に当って国際石油大企業の圧力・阻止に直面した最初の具体的な出来事となった。最終的に出光佐三をはじめとする本社の出光興産社の首脳は自社のタンカーで対応することを決めるに至った。[37] そこで自社のタンカーで当時丁度アメリカのロサンゼルス州からガソリンを積んで帰途につき、日米間を航行中であった「日章丸」を送ることを決めたのである。日章丸は日本に到着するやいなや積荷を日本で陸揚げしてから早速イランに向かった。日章丸は一九五三年三月二三日に神戸港を出港した。[38]

日章丸は同年四月一一日にイランのアバダン港に着き、契約通りの石油を積んで復航についた。しかし復航ルートとしては来た時のマラッカ海峡とシンガポール海峡の航行と異なって、英国と接触しないためにインド洋とインドネシアのジャワ海を繋ぐスンダ海峡を航過することが相応しいと判断された。日章丸は、四月二七日にスンダ海峡、同月三〇日に南シナ海、五月四日にフィリピンのバシー海峡を通過してから沖縄諸島の東方を北上し、ついに同月九日には川崎港に辿り着いたのである。日章丸は第一回のイラン石油の揚荷が完了してから、五月一四日に第二回のイラン石油の積荷のために再びイランに向けて出港したとされる。第一回のイラン石油は日本の年間消費量の二%にもみたなかったにもかかわらず国内外のメディアや業界で大きな反響を及ぼした。[40]

第一回のイラン石油の積荷のためにイランのアバダン港に入港する直前、英国政府は外務省に妨害行為を行った。四月一一日のアバダン入港の一日前の一〇日には英国政府はサー・エスラー・デニング（Sir Esler MaberleyDening, 1897～1977）駐日大使に日章丸のアバダン入港についての詳細を調査するよう命じた。さらにその三日後の一三日、同政府は日本政府に対して出光興産のイラン石油の輸入が英国のイラン政府に関する法的措置を破るものであるため必要な対策を取って欲しいとの旨を伝えたのである。従って、外務省は翌日の一四日に出光興産の関係者を招き、真相調査を開始した。[41]実際に出光佐三は日章丸が日本から出航する前に外務省その他の国家機関の関係者とイラン石油の輸入について意見を交換したとされる。その時、外務省の外交問題を起こさない限り一企業の事業のため前もってその承認は与えられないが、妨害行為にもでないという内容のものであったとされる。[42]英国政府は、日章丸がイラン石油を積んで帰港するまであらゆる外交手段をもって妨害しようとしたが、イラン石油の日本への陸揚げを防げなかった。

外交ルートによるイラン石油の輸入を阻めなかった英国政府は出光興産に対して今度は五一％出資した国策会社であるアングロ・イラニアン石油会社を通じて妨害しようとした。ＡＩ社は、第一回の日章丸の帰港を前に訴訟代理人を東京に送り、正式に一九五三年五月六日に東京地方裁判所に日章丸のイラン石油に対して「処分禁止の仮処分申請」を提出した。日章丸が丁度この時、沖縄諸島の東方海上を航行し日本領海内に入り込んでいたころであった。出光側はこの訴訟における弁護を柳井恒夫（やないひさお）に依頼した。[45]

日章丸によるイラン石油の輸入裁判に於いて出光側は勝訴のために柳井を中心に弁護チームを組む傍ら、イラン政府の協力まで取り付けることに成功した。柳井らは出光側と相談の上、イラン石油の輸入の正当性を立証するためにイラン側からの証人の来日をＮＩＯＣとイラン政府に求めたとされる。そして、イラン政府の代理証人としてジャラール・アブドー国連公使と、ＮＩＯＣの代理証人としてファド・ルーハニー顧問弁護士そして同社営業部長Ａ・パーヒデーが派遣された。これらのイラン人は来日してから柳井弁護士を中心とする弁護チームを各自の専門分野から援助したとされる。ＮＩＯＣの営業部長Ａ・パーヒデーが出光とイランとの取引関係についての諸資料を持参し、同社のルーハニーは法律関係の各種書類を提供し、イラン政府の代理証人のアブドーは来日してから政府関係者に出光の立場をイラン側としてサポートする旨を伝えるとともに国際法学かつ国際関係上、出光の立場を有利にするための様々な資料や提案を与えたとされる。出光、柳井とイラン側の証人らは連日会議を開き、英国の主張に対する弁護を計った。(44)

英国政府とアングロ・イラニアン社からなる国際資本側に対してイランと日本の民族系企業側からなる国際裁判において、最終的な判決はアングロ・イラニアン社の提訴したものの約三週間後の五月二七日に下された。これによると、「本件仮処分申請を却下する。訴訟費用は申請人の負担となる」との結果によって裁判は出光の勝訴に終わった。こうしてアングロ・イラニアン社の日章丸に積み込まれたイラン石油に対する所有権を認めない上に同社の被保全権利は認められず、出光のイラン石油の輸入行為は正当化され、国内外の出光の法的立場を固めた。(45) その後ＡＩ社はすぐに東京高裁に控訴した。東京高裁への控訴において第一回の日章丸の石油に合わせて第二回分の積み込みイラン石油も仮処分の対象に加えられたが、出光に有利な判決がなされ、ＡＩ社による控訴が却下された。ＡＩ社は控訴と共に東京地裁に本訴を起こしていたが、控訴の結果の影響もあり、途中法廷外で出光との協議の結果、本訴に関して訴訟の取下げを行った。こうして出光とＡＩ社との間のイラン石油をめぐる訴訟は完全に終了した。(46)

その後出光興産社によりイラン石油の輸入は一九五四年末まで継続されたが、国際石油大企業の支配から脱したイラン石油が民族系資本石油企業の出光により初めて日本に運ばれたことは七年間の占領政策のもとで苦しみ耐え忍んできた国民の心をつかんだ。出光によるイラン石油の輸入は契約期限の途中で切れたが、その背後には米国ＣＩＡのクーデター計画によりモサデク政権が倒された結果、(47)親米派の新政権が就任したイランに於いて米国系の石油企業がイラン石油市場を支配し始めた影響がある。つまり、クーデター後のイランに対してアイゼンハワー政権は積極的に経済援助を実行するが、その代償は米国系の国際石油企業の主導の下でイラン石油が再び国際石油マーケットに提供されることであった。そのために国際コンソーシアムが結成されるに至ったが、その中には米国系の石油企業と共にＡＩ社の後身であるＢＰ（一九五四年以降）、シェル社そしてフランス石油が入っていた。はじめて石油のイシューで交渉を開始し、意見を激しくぶつけ合ってから合意に漕ぎ付けた国際石油大企業が一九五四年四月イラン石油のためのコンソーシアムを作り上げた。(48)

早速イラン政府と交渉を始めた国際コンソーシアムは協定を結ぶに至り、パーレビ国王の署名を経て同年一〇月二九日にコンソーシアム協定が発効した。この協定によれば、イラン政府がコンソーシアムの販売利益から五〇%の利権料を取るのに対して、イラン西南部の主要油田における石油の採掘、生産、精製、輸出のあらゆる運営権をこのコンソーシアムに付与する内容であった。コンソーシアム協定とそれまでの国際的な石油契約との相違点は、はじめて石油を有するホスト国、つまり産油国が油田とそのアセット(= reserve and asset)の所有権を持ち、コンソーシアム側にその運営権を与えただけであった。[49] 契約期限が切れてからその権利をホスト国のイランに返すコンソーシアム側、言い換えればメジャーはその分採掘から販売までの全過程におけるイラン石油の独占支配権を獲得するようになった。コンソーシアムの中の株占有率は英国のBP社と、米国の五社からなるメジャー(各社八%)が四〇%ずつであるのに対してシェル社が一四%とフランスのCFR社が六%と決められた。[50]

イラン石油の新しい機構構築に奔走したメジャーは出光とモサデク政権との間の石油契約を見直し、新しい条件を出光側に要求した。改めてメジャーの独占支配下に入ったイラン石油の輸入はより難しくなったため、出光のイラン石油輸入は契約期限の終息よりも早く終わった。具体的には、コンソーシアム協定発効の二ヵ月後一九五四年一二月二二日には第二〇回の日章丸がアバダン港で契約義務量の最後の石油を積載してから日本に戻ったとされるが、これで出光興産とイラン国営石油会社との間の義務量の積荷が完了するに至り、その後出光側からイラン側に契約の最後まで石油を輸入し続けたいとの要求が伝えられた。しかしコンソーシアムと提携したイラン側がそれに応じなかったため、出光によるイラン石油の輸入事業はわずか二年弱で終止符を打たれた。[51]

出光佐三は、イラン石油を長く輸入できなかった一番大きな要因としてメジャー及び英米政府の日本政府に対する圧力と日本政府関係者の屈服をあげている。ＡＩ社の訴訟に対する日本の裁判所の判決を立派だと称える佐三は、特に当時自由党政府が出光のイラン石油輸入に対して消極的であったことを指摘している。[52]

モサデク政権が国有化した石油問題は、その後アラブ系の中東産油国の資源ナショナリズムの胎動を促した。また、戦後日本の産業発展における自主独立性を語る上で大きな位置を占める出光興産によるイラン石油の輸入が、日本国民と共に他の民族系石油企業や企業家、特に後述する中東地域でその後原油の輸入・開発事業に携わる資源派財界人及び石油企業の視野を広げることへの一助となった上で、当時の国民に自信と勇気を与えたと言えよう。

5　大協石油によるイラン石油の輸入計画

具体的には、大協石油株式会社によるイラン石油の輸入計画はその一例である。大協石油は、独自で安価の原油を確保する出光興産社の先例にならい、イラン石油の輸入のためにまず国内造船企業の播磨造船所と提携してからイラン国策石油会社との間に原油・タンカーのバーター契約を仮に結んだ。同契約によると、イラン側が播磨造船所からタンカーを輸入する見返りとして、大協石油がイラン産の石油をバーターするものであった。とはいえ、最終的には日本政府の許可を得られずイラン石油の輸入プロジェクトは実現するに至らなかった。

後に詳述するように、石崎重郎（1905～1994）の日記からはこの事業は播磨造船所のほうで交渉が先に始まったことがわかる。「もともとイランがタンカーを購入するという話は、モサデク政権時代のナショナル・イラニアン石油会社と播磨造船所との下交渉」であったとされる。[53] 播磨造船所より大協石油のほうにイラン産石油の輸入事業への参加申入れがあったことが同日記の一九五三年三月二六日（木）の記録から窺える。この日、播磨造船所の関係者と石崎がイラン原油とタンカーのバーターの件で会合し、通産省側がこのプロジェクトを支援する傾向にあるものの、「造船金融の問題、同省鉱山局の外貨枠の問題及び外務省筋の動向等」が問題となりうることが話されたとされる。[54] つまり同年三月下旬が両社によるイラン産石油の輸入事業の出発でもあったと考えられる。その後両社の関係者が共に動き、政界の人と協力しながら本プロジェクトを具体的に進めた。日本での下準備を完成した両社は大協石油から石崎及び播磨造船所から神保敏雄を八月下旬テヘランに派遣し、先方と本格的な交渉に当らせたのである。[55] 約二ヵ月間イランに滞在した二人はイラン政財界の要人及び宗教的指導者と接触し、日本のタンカーをイラン原油とバーターする仮の契約に漕ぎ着けた。[56]

一九五三年九月二八日に締結されたこの契約は一九五三年一二月三一日より五ヵ年であり、「原油引取第一船は、遅くとも一九五四年二月末日迄に指定積取港に入港」せざるを得なかったが、日本政府がそれまでに大協石油に対してイラン石油の輸入の許可を出さなかったがゆえに契約が自動的に廃棄となった。外務省外交史料館で公開されている一連の史料からは、日本政府、特に外務省が対英外交を重視したうえで、大協石油によるイラン石油のバーター式輸入を阻んだことが窺える。[57]

さらに、「本邦対イラン貿易関係　取引関係」ファイルの中に眠っている「イラン石油輸入に関する歎願書」という表題の文書からは、[58]一九五三年一二月一三日までに播磨造船所からのタンカー建造のための許可を得るのに日本政府に対して「百方陳情も」行い、「且又建造許可だけでも得たく運輸大臣宛正式の建造許可申請も提出」したが、何れも許可が出なかったため、やむなく播磨造船所がこの事業から退くこととなったことがわかる。大協石油も播磨造船所のような状態に置かれる恐れがありイラン原油の輸入計画自体が破綻する可能性が十分あると判断したうえで外務省及び日本政府の許可を仰ぎ、岡崎外相あてに正式に支援を懇請することにしたことが推測される。

従って、イランからのバーター式原油輸入のために両社の代理は、岡崎外相に宛てて具体的に二点の要請をしている。第一は「大協石油に対しては、期限二月末迄には是非共日本政府の輸入許可を与えられ」たいことである。第二は「イラン石油輸入御許可の上は、播磨造船所との仮契約の延長に関しては直接政府御当局よりも先方（筆者：イラン政府）に御交渉賜り度」いとのことであった。

ところが、播磨造船所・大協石油の懇請に対する外務省側の正式な回答は、少なくとも筆者が調べた外交史料館の公開史料の中には存在しない。ただ、日付なしの「Oral Statement」というタイトルの史料では英語で「バーター式によるイランとの通商を原則として受け入れるが、その中身、つまりバーターされる品目を日英両政府の了解のもとで考慮」したいとされている。[59] その他、在テヘラン日本臨時代理公使の広瀬達夫から岡崎勝男外相宛の一九五四年二月一六日付の電報において「昨年来日『イ』間に成立せるバーター契約が日本政府不許可のため実行せられざりし事実に鑑み日本が英国の了解を得ざる限り石油の取引交渉するを好まざる」とされている。[60] これらの外交史料からは英国とイランの石油問題及び石油をめぐる外交問題が解決されない限り、日本政府がイラン石油輸入の許可を民間企業に出さなかったことがわかる。

また、「本邦対イラン貿易関係　取引関係―石油関係」ファイルの中に所蔵されている一九五四年四月二三日起草の日本語の文書と同日付の英文文書は、両社によるイラン石油の輸入計画に終止符が打たれたことを示す。まず、日本語の電報は外務省外務事務次官から通商産業省通商産業事務次官に宛てて「イランとのバーター契約に関する件」というタイトルのものであるが、以下のような内容である。[61]

本件（筆者：イランのバーター契約）については客年五月一日の閣議決定に基づきイラン石油の輸入を差止めて居るところにかんがみ、イランとのバーター契約のうち、日本から輸出する物資の見返り物資として輸入する品目を「追って決定の上日本政府の許可を得る」ことを条件としたものについては、石油の輸入につき許可申請があった場合、英イラン間の石油問題解決あるまでは許可することを差控えられたく、又許可するに当っては予め当省に御協議あるよう、御取計いありたい。

次は、大協石油の石崎により英文で作成され、イラン国営石油会社（ＮＩＯＣ）宛の電報であるが、その要旨は以下のようである。(62)

日本国政府は今現在日イ間通商貿易関係の促進をはかり、従ってわが社（筆者：大協石油）に対して、イラン石油の輸入問題について原油購入の交渉は在テヘラン日本大使館を通じる公的外交チャンネルによって行われることを勧めたのである。

貴社は、日本国内石油業界のシステム上石油企業が精製会社とコネクションを持たない限り、原油輸入のライセンスを有しないことについて御了承くださいますよう、お願い申し上げます。

上記のように外務省は英国との関係を考慮し、イランと英国との外交関係が回復しない限り、日本政府がイラン石油の輸入許可を大協石油などに付与しないようにした。英・イ国間の石油をめぐる関係が前述のクーデターにより親米英政権が成立することにつれ、好転することになった。従って、一九五四年の国際コンソーシアム・ＮＩＯＣ間の石油協定により外務省をはじめとする日本政府のスタンスは逆の立場をとるようになり、国内企業に対してイラン石油の輸入が再び行われることを支援するようになった。外務省はこれまでと異なる路線をとり、大協石油発ＮＩＯＣ宛の上述の史料にも明言されているように、公式外交チャンネルを通じてイラン産石油の輸入交渉を進めようとした。もともと戦後日本・イラン間の外交関係はクーデター三ヵ月後の一九五三年一一月に再開されたため、出光興産社とＮＩＯＣの交渉には直接に介入しなかった外務省は国交回復後石油をめぐるさらなる問題に日本が巻き込まれないようにイランからの安価の石油を輸入するのにイニシアティヴをとったと言えよう。

外務省をはじめとする日本政府は国交回復直後からイランと通商協定を結ぶ交渉を開始し、石油をこの通商協定の中に位置づけてイラン産の石油輸入を行おうとした。[63] 日イ国交回復の約半年後、一九五四年四月二四日に岡崎外相から広瀬在テヘラン公使宛に送られた電報は、日本政府がイランとの通商交渉を正式に希望することを表明し、石油が同協定の最も肝心な品目である旨を伝えている。[64]

日本とイランとの通商貿易協定は長い交渉を経てから漸く一九六〇年に決着され、同年一〇月一一日にテヘランで協定を結ぶに至ったのであるが、[65] 外務省外交史料館の関連史料からは、交渉が難航した原因の一つとして日本側が同協定の中に輸入品目として石油を含める強い希望を抱いたことに対し、ザーヘディーが率いるイラン政府側が国際大手石油資本との交渉が進展中であり、英国をはじめとする国際社会との石油問題が正式に解決されない限り石油を通商協定の中に入れることが不可能との見解を有していたことが窺える。[66] イラン側がコンソーシアムとの石油協定締結後、日本と別個に通商協定と石油協定を結ぶ意向を堅持していたことには、①従来どの国との貿易協定にも石油を品目として入れていない原則、②石油を政府間の協定ではなく、両国の会社間の事業にする強い希望があったことが窺える。[67]

一九六〇年代末・一九七〇年代初頭日本の総輸入量におけるイラン産原油の比重は四〇%を超えていたのであるが、これはイラン国策石油会社のＮＩＯＣから売買されたものではなく、ほとんどイラン石油市場を独占するメジャーからなるコンソーシアム側によるものであった。実際に日本の石油企業はイラン産石油の購入だけではなく、開発にも関心を有していたことが外交史料館の史料から窺える。一九五八年五月訪日したパーレビイラン国王と岸信介首相間の会談録によると、出光興産社は日本政府の支持を受けた上でイランの油田開発の入札にも参加したが、最終的に米国のインデペンデント系石油会社ＡＭＯＣＯに決まったとされる。[68]

出光興産社によるイランの油田開発事業は不発に終わったものの、日本の同国の油田開発に対する関心は消えなかった。約一〇年後新たな開発事業の試みは両国政府間の支援の下で進められた。一九六九年四月イラン外相のザーヘディーが来日し、池田勇人首相と会談し、二人の間では日本によるイラン石油の開発イシューに関する意見が交わされた。[69]

ザー外相・池田首相の会談より約二年後、一九七一年三井物産を中心とする一連の日本企業によるイランのロレスターン鉱区の油田採掘権の為に両国が合意した。その事業の為に同年一二月に日本側で三井物産を中心として投資企業イラン化学開発（ＩＣＤＣ）が設置され、イラン国営石油化学（ＮＰＣ）と共に現地でロレスターン鉱区の採掘を開始したものの、この計画は成功するに至らず、日本側が一九七七年に同鉱区を返上した。しかし、両国の経済協力の基調を成し遂げるイラン・ジャパン石油化学（ＩＪＰＣ）[70]がロレスターン鉱区の採掘契約の付与条件として出発することとなった。[71]

6　石崎重郎とイラン石油の輸入交渉

本項では大協石油によるイラン産石油の輸入計画を実行するために現地に派遣された石崎重郎に焦点を当てたい。

一九三九年に京都大学文学部を卒業してから大協石油に入社した石崎は、その後約三〇年間大協石油に勤務し、後述のアブダビ石油株式会社の設立とともに一九六八年に同社の副社長となった。アブダビ石油株式会社に出資した大協石油から移籍してきた石崎にはその後も大協石油との関係が続き、同社の顧問を務めていたとされる。[72]

石崎は一九五〇年代前半のイラン石油の輸入問題に深くかかわった。大協石油の代表として輸入交渉を行うために一九五三年八月下旬テヘランに派遣され、約二ヵ月間イランで政財界の要人及びイスラーム教の最高指導者と接触し、イラン産石油をバーター式で輸入するためにイラン側と契約を結んだのは前述のとおりである。

石崎が交渉のためにイランに着いたのは、ちょうどモサデク政権がクーデターで失脚した直後であり、ザーヘディー内閣がまだ完全に組閣せず、夜八時の以降の外出が禁止され、テヘラン市の各方面に米国製銃で武装した兵隊がいた頃であった。こうした戒厳状態の中、石崎は経済大臣、大蔵大臣をはじめとする政府要人に会い、石油の輸入交渉を進めた。石崎がイランで交渉にあたった際、もっとも印象に残っている会談としてイランの最高宗教指導者のアヤトラ・セイード・アボルガッセム・カシアニとの間のものであった。石崎はイラン滞在中二回にわたって会ったカシアニについては「二千年の歴史あるイスラム教の力は、民族主義思想の高揚と相俟って彼の端睨すべからざる政治的潜勢力の背景となっている」と述べている。[73] さらに石崎はカシアニの協力がなければイランからの石油を購入することが難しいことを指摘している。日本だけではなく、欧米企業でも、イランにおける彼の権力を軽視しては石油交渉をスムーズに行い難いという。[74]

彼は熱烈なる民族主義者であり、石油国有化についても、最も強硬にこれを支持する人である。且つ日本に対しては特別の好意と期待をもって居り、石油による日本とのバーター貿易を切望して、〈中略〉最後に心強く思ったことは、〈中略〉イランの日本に対する国民感情は極めて友好的で、我が工業力を高く評価して両国間の貿易の発展を熱望していることである。依然として日本をアジアの代表的大国として信頼している。今回の石油交渉に於いても、当然こちらが考えて居た船舶とのバーター以上に、五ヵ年に亘る長期の取引を希望した。

石崎がアジアという地域を前面に出し、同じアジア大陸の二ヵ国として日本とイランを捉えている。これは戦前のアジア主義というイデオロギーが精神的に連続していることを現すものであると言えよう。実際にイランに対して同じアジアの国、あるいは同じアジア民族という認識を持ったのは石崎が代表する資源派財界人だけではなかった。上述の岸・パーレビ国王の会談において岸首相も、日本とイランとを向き合わせる点としてアジアを前面に出していたのである。岸はパーレビ国王に対して以下の様に述べる。(75)

日本の将来の繁栄もアジアの繁栄と運命を共にしておるものであると確信しておるものでありまず。従って日本はアジアの一員としてその保有する世界における一級の産業技術に関するその知識と経験をアジアの友邦の繁栄のために奉仕させたいと熱望しておるのであります。〈中略〉日本がアジアの友邦の経済建設のために有力な役割を演ずるようになるということは、これまでのアジアの歴史に鑑みて又恒久的な相互の利益とゆう(ママ)点からしても極めて重要な意識を有するものであると確信しております。

こうして岸が対イラン外交において同じアジアの一員であることを強調するのは不思議ではない。なぜなら岸信介政権の外交政策は基本的に三本の柱からなり、その一つが「アジアの一員としての立場を堅持する」ことだからである。[76] その中で対中東政策・外交は対米自主路線の中で展開したアジア外交の一環として浮上したのである。[77]

7　むすびにかえて

本章で集中的に取り上げた日本の一九五〇年代とは高度成長期の始まりであり、日本の資源エネルギー源が石炭から石油に転換しつつあった時期であった。この時、日本の出光興産社は、日イ両国間の正式な外交関係のない時代からイラン産石油を輸入する冒険に挑み、それまでメジャーが先導した国際石油市場体制に抵抗した上で、メジャーを通さず、独自かつ安価な方法で石油資源を資源小国の日本に輸入し始めた。

他方、イランの一九五〇年代の前半に英国と石油資源の国有化をめぐる外交問題が起こり、両国間で解決されなかったこの問題は国際的紛争に進展していった。この外交問題は単なる自発行為でもなければ、世界から孤立して起きた問題でもなかった。この問題が国際化していく中、戦前から英国をはじめとする欧米諸国のアジアに対する「搾取主義」へのアジアの不満として象徴化していったと言える。

イラン石油の例においては、反帝国主義ともいうべきこの感情・理念は二〇世紀当初から英国系企業のアングロ・イラニアン石油会社に国内資源が独占的に利用されることに対する革命的政策として現れたのである。さらに大きな枠組みで考えると、それまでの国際経済秩序への不満そしてメジャーが率いる世界石油市場のあり様への反発としても読み取れる。[78] まさにイランの石油と出光興産社とを引き合わせたのは両者が共に抱いていた欧米先導の既存の国際経済・石油秩序への対抗心であり、アジア的民族主義に基づく新しい国際経済秩序への憧れでもあった。出光佐三がいう「アジア民族と結ばれる因縁」であったこの反西洋的精神はイランの国策会社と日本の出光興産社を邂逅させたものである。

最後に、出光の対イラン資源確保活動はその後も日本のその他の民族系資本と日本政府の関心を同国に向かわせた。とりわけ日本政府は安価で安定的な石油供給源を確保できるイランとの関係を出光興産、大協石油のイラン産石油の輸入事業で改めて認識することとなり、日本政府の保証の下でイラン石油を輸入する政策を採るようになったと言える。

※本稿は、日本学術振興会（ＪＳＰＳ）特別奨励研究課題番号17F17011「戦後日本の『中東』に対する認識と外交政策　資源保障論を超えて」の成果の一部である。

注

（1）通商産業省「海外資源の確保」『通商白書：総論』一九六九年、三二二～三二三頁。

（2）通商産業省「原油」『通商白書：総論』一九七〇年、二〇三～二〇四頁。

（3）通商産業省鉱山局石油計画課・石油業務課（編）『石油産業の現状：附石油業法の解説』石油通信社、一九六六年、八四～八五頁。

（4）例えば、国際的には、戦前一九三九年には総精製能力の内七〇％は生産地製油所であったのに対して、残りの三〇％は消費地製油所であったが、戦後一九六〇年には前者は二五％であったことに対して後者は六五％であった。製油所の形態別能力推移について詳しくは、同書、八八～八九頁を参照。

（5）共同石油二〇年史編纂委員会（編）『共同石油二〇年史（1965～1985）』共同石油株式会社、一九八八年、五～六頁。

（6）帝国石油社史編さん委員会（編）『帝国石油五十年史：経営編』帝国石油株式会社、一九九二年、六五～六六頁。

（7）モサデク政権による石油の国有化は英米系のメジャーが同国石油をボイコットする引き金となり、他の中東産油国での石油生産量増加に繋がっていったのである。Katayoun Shafiee, *Machineries of Oil –Infrastructural History of BP in Iran-*, Cambridge and London, the MIT Press, 2018, p. 235.

（8）英国によるイラン石油の独占支配について、Mary Ann Heiss, *Empire and Nationhood: The United States, Great Britain, and Iranian Oil, 1950-1954*, New York, Columbia University Press, 1997, p.p. 5-6を参照。

（9）モサデクに関して詳しくは、Dr. Mohammad Mosaddiq (edit. and intr. By Homa Katouzian, trans. by S.H.

Aminand H. Katouzian), *Musaddiq's Memoirs*, JEBHE, National Movement of Iran, 1988, p.p. 1-4を参照。

(10) 細谷千博「序文」読売新聞戦後史班（編）『昭和戦後史イラン石油を求めて日章丸事件』冬樹社、一九八一年、i～iii。

(11) 橘川武郎『日本石油産業の競争力構築』名古屋大学出版会、二〇一二年、一四五頁。

(12) イタリアのスポール商会は戦前メキシコ石油が国有化された際も安い油を素早く購買し、メジャーズの国際販売網外の民族系石油を買い入れる傾向がある会社であった。読売新聞社社会部（編）『日本の婿殿：外国資本物語』東京大学出版会、一九五五年、四三頁。

(13) 同書、三五～四七頁。

(14) 出光興産株式会社店主室（編）『ペルシャ湾上の日章丸：出光とイラン石油』出光興産、一九七八年、五～七頁。

(15) 読売新聞戦後史班、前掲書、一九八一年、一五頁。

(16) 出光興産株式会社店主室（編）『アバダンに行け：「出光とイラン石油」外史』出光興産店主室、一九八〇年、四頁。

(17) 読売新聞戦後史班、前掲書、一九八一年、一九頁。

(18) 同書、二〇頁。

(19) 出光興産株式会社店主室、前掲書、一九八〇年、五頁。

(20) 読売新聞戦後史班、前掲書、一九八一年、二〇～二一頁。

(21) 読売新聞戦後史班、前掲書、一九八一年、二三頁、二六頁。出光興産株式会社店主室、前掲書、一九八〇年、六頁。

(22) 読売新聞戦後史班、前掲書、一九八一年、八頁。

(23) 出光興産株式会社店主室、前掲書、一九七八年、六頁：読売新聞戦後史班、前掲書、一九八一年、四頁。

(24) 出光興産株式会社店主室、前掲書、一九八〇年、七〜一一頁。

(25) 出光佐三「メジャー支配に抵抗して」エコノミスト編集部（編）、近藤完一・小山内宏（監修）『戦後産業史への証言（三）：エネルギー革命・防衛生産の軌跡』毎日新聞社、一九七八年、四四頁。

(26) 国際司法裁判所の判決は英国とイランとの間の石油問題に関して「当裁判所には管轄権がない」ということであったが、実際にこれはイラン政府の主張でもあり、モサデク政権はこの問題についてイランと英国のアングロ・イラニアンという一企業との間の問題だけであり、国家間の紛争を扱う国際司法裁判所の管轄の範囲外であるとして出廷一貫して拒み続けていた。出光興産株式会社店主室、前掲書、一九七八年、五四頁。

(27) 出光興産株式会社店主室、前掲書、一九八〇年、一二〜一三頁。

(28) 出光興産株式会社店主室、前掲書、一九七八年、五五頁。高倉秀二『評伝　出光佐三：士魂商才の軌跡』プレジデント社、一九九〇年、三七八頁。

(29) ウィリス・マホニー・ポール・コフマンと出光らが接した頃モサデク政権によるイラン石油の国有化問題をめぐるイ・英間の軋轢に対する米国政府及びＣＩＡのスタンスについて詳しくは、James C. Van Hook (edit.)・Adam M. Howard(Gen. Edit.), *Foreign Relations of the United States, 1952-1954:Iran, 1951-1954 (Second Edition)*, Washington, United States Government Publishing Office, 2018, p.p. 217-475 を参照。

(30) 出光興産株式会社店主室、前掲書、一九七八年、六一〜六二頁。

(31) 読売新聞戦後史班、前掲書、一九八一年、八〇～八三頁。
(32) 高倉、前掲書、一九九〇年、三八五頁。
(33) 出光興産株式会社(編)『出光五十年史』出光興産、一九七〇年、六四二～六四四頁。
(34) 高倉、前掲書、一九九〇年、四〇九頁。
(35) 一九五二年九月アチソン国務長官はイラン石油の国有化を米国政府として既成事実として承認すると声明したのである。
(36) 高倉、前掲書、一九九〇年、三九九～四〇〇頁、四一一～四一二頁。
(37) 出光興産株式会社店主室、前掲書、一九七八年、一二七～一三一頁。
(38) 読売新聞戦後史班、前掲書、一九八一年、一八九頁。
(39) 英米新聞のために、*New York Times*, "Japanese Buy IranianOil: Follow Italians in Purchase of British-Contested Fuel",11 April 1953, p.6; The Times, "Purchase of Persian Oil by Japanese",15 April 1953, p.3; "Japanese Purchase of Persian Oil"18 April 1953, p.6 を参照。さらに国内新聞のために、「イランの石油を買付:出光興産で」『朝日新聞』一九五三年四月一一日朝刊、四頁。「イラン石油輸入契約纏まる」『読売新聞』一九五三年四月一一日朝刊、三頁。同「英、調査を指令」一九五三年四月一一日夕刊、二頁を参照。
(40) 出光興産株式会社店主室、前掲書、一九七八年、一七〇～一七一頁、一九二～一九三頁。
(41) 同書、一六七頁。
(42) 同書、一四二～一四三頁。
(43) 柳井恒夫は元外交官であった。その他、弁護士として極東国際軍事裁判(東京裁判)において元首相の平沼騏一郎の副弁護人、重光葵の主任弁護人などをも務めた。

(44) 出光興産株式会社店主室、前掲書、一九七八年、一七六～一七七頁。

(45) 同書、二〇四～二〇七頁。

(46) 読売新聞戦後史班、前掲書、一九八一年、三二〇～三二一頁。

(47) CIAによりモサデク政権の打倒についてのモノグラフのために、Darioush Bayandor, *Iran and the CIA: The Fall of Mosaddeq Revisited*, Palgrave Macmillan, 2010 を参照。

(48) イラン石油めぐる国際コンソーシアムの結成過程について詳しくは、Fereidun Fesharaki, *Development of the Iranian Oil Industry: International and Domestic Aspects*, Praeger Publishers, 1976, p.p. 44-49 を参照。

(49) Ibid, p. 50.

(50) Katayoun, op. cit., 2018, p.226。

(51) 読売新聞戦後史班、前掲書、一九八一年、三八五～三八六頁。

(52) 出光興産株式会社店主室、前掲書、一九七八年、四七～四九頁。

(53) 石崎重郎『石油日記：戦中・戦後』日本経済新聞社、一九七九年、三〇一頁。

(54) 同書、二九〇頁。

(55) イランに出発する前に国内で行われた下準備の過程について詳しくは、同書、二九一～二九九頁を参照。

(56) 大協石油株式会社社史編さん委員会（編）『大協石油四〇年史』大協石油株式会社、一九八〇年、一五二～一五三頁。

(57) 戦後期外務省記録『本邦対イラン貿易関係　取引関係』E'.2.1.6.2-1、外務省外交史料館。

(58) 高橋真男大協石油株式会社取締役社長・六岡周三株式会社播磨造船所取締役社長発岡崎勝男外務大臣宛ての嘆願書「イラン石油輸入に関する歎願書」一九五四年二月三日、『本邦対イラン貿易関係 取引関係』E'.2.1.6.2-1、外務省外交史料館。
(59) これはおそらく、外務省側から在日英国大使館に対して伝えられる内容であったと筆者が推測する。
(60) 広瀬達夫臨時代理公使発岡崎勝男大臣宛第二三号「イラン石油問題に関する件」一九五四年二月一六日、『本邦対イラン貿易関係 取引関係』E'.2.1.6.2-1、外務省外交史料館。
(61) 外務省外務事務次官発通商産業省通商産業事務次官宛第一五六号(?)「イランとのバーター契約に関する件」一九五四年四月二三日、『本邦対イラン貿易関係 取引関係』E'.2.1.6.2-1、外務省外交史料館。
(62) 石崎重郎大協石油取締役発ナショナルイラニアン石油会社宛て英文書簡の複写、一九五四年四月二三日、『本邦対イラン貿易関係 取引関係』E'.2.1.6.2-1、外務省外交史料館。
(63) 石崎の日記からは、実際に一九五三年夏頃から日本政府がイラン石油の取引を政府レベルの貿易政策の一環としてすすめていく意思を有していたことが窺える。石崎、前掲書、一九七九年、二九六頁。
(64) 岡崎勝男外務大臣発広瀬達夫在イラン臨時代理公使宛第四二号「日本、イラン間通商交渉に関する件」一九五四年四月二四日、『日本・イラン貿易協定関係』B'.5.2.0.J/IR1、外務省外交史料館。
(65) ケイワン・アブドリ(Keivan Abdoly)「出光石油協定に見る一九五〇年代のイランと日本のエネルギー外交」日本貿易振興機構(ジェトロ)アジア経済研究所(編)『中東レビュー』5、二〇一八年、一五五頁。
(66) 門脇季光在テヘラン公使発岡崎勝男外務大臣宛第二〇二号「日本、イラン間通商交渉の件」一九五四年八月一七日、『日本・イラン貿易協定関係』B'.5.2.0.J/IR1、外務省外交史料館。

(67) 門脇季光在テヘラン公使発岡崎勝男外務大臣宛第二一七号「イラン通商交渉に関する件」一九五四年九月一六日、『日本・イラン貿易協定関係』B'.5.2.0.J/IR1、外務省外交史料館。

(68) 「岸総理とイラン皇帝陛下との会談資料」一九五八年五月三一日、『パーレビ・イラン皇帝訪日』２０１４－５１０７（ＳＡ１３２）、外務省外交史料館。

(69) 「佐藤総理とザヘディ外相の会談」一九六九四月二五日、『歴史資料としての価値が認められる開示文書(写し)』Vol. 14、外務省外交史料館（資料上、八～九頁）。

(70) 本プロジェクトは第二次世界大戦後中東地域で日本企業が興した最大規模の事業の一つであったが、一九七三年の石油危機、一九七九年のイスラーム革命、翌年のイラン・イラク戦争の勃発など中東地域全体及びイランで起きた一連の事件によって完成に至らず、終息した。詳しくは、梅野巨利「イラン・ジャパン石油化学プロジェクト誕生過程の史的分析」『国際ビジネス研究』１（２）、二〇〇九年、一三三～一四五頁を参照。

(71) ケイワン、前掲論文、一五六頁。

(72) 石崎重郎「奥付」、前掲書、一九七九年。宮下二郎（元石油連盟業務部長）「石崎重郎さんのこと」石油文化社『石油文化』42（7）、一九九四年七月、四四～四五頁。

(73) 石崎、前掲書、一九七九年、三〇五頁。

(74) 同書、三〇五頁、三〇六～三〇七頁。

(75) 「岸総理とイラン皇帝陛下との会談資料」一九五八年五月三一日、前掲資料、２０１４－５１０７（ＳＡ１３２）。

(76) 宮城太蔵『戦後日本のアジア外交』ミネルヴァ書房、二〇一五年、九九頁。
(77) 権容奭『岸政権期の「アジア外交」:「対米自主」と「アジア主義」の逆説』国際書院、二〇〇八年、一七七頁。
(78) Heiss, op. cit. 1997, p. 221.

シナン・レヴェント

●著者紹介

萩野寛雄(はぎのひろお)（東北福祉大学総合福祉学部教授）—第1章・編者

金子芳樹(かねこよしき)（獨協大学外国語学部教授）—第2章

菊池信輝(きくちのぶてる)（都留文科大学文学部比較文化学科教授）—第3章

星野英一(ほしのえいいち)（琉球大学名誉教授）—第4章

シナン・レヴェント　Sinan Levent　（アンカラ大学助教授）—第5章

●**編者紹介**

萩野寛雄（はぎの・ひろお）

東北福祉大学総合福祉学部教授

早稲田大学大学院政治学研究科博士課程修了、博士（政治学）、専門は政治学、行政学、地方自治。フィンランドのヘルシンキ・スクール・オブ・エコノミクス客員研究員、ラウレア応用科学大学客員研究員など歴任。主な著書『収益事業としての合法ギャンブルの誕生—競馬、福祉、そしてIR』敬文堂、『危機の時代と「知」の挑戦（上）』（共編著）論創社、『NEW WAYS OF PROMOTING MENTAL WELL-BEING AND COGNITIVE FUNCTION』（共編著）Laurea Publication など。

現代日本におけるアジア論の地平

■発　行　2022年3月31日

■編　者　萩野 寛雄

■発行者　中山元春

■発行所　株式会社芦書房　〒101-0048 東京都千代田区神田司町2–5
電話 03-3293-0556 ／ FAX 03-3293-0557
http://www.ashi.co.jp

■組　版　ニッタプリントサービス

■印　刷　モリモト印刷

■製　本　モリモト印刷

ISBN978-4-7556-1321-0 C0031